## Konzertgitarre spielen macht Spaß

Konzertgitarre spielen lernen ganz leicht gemacht.
Die Karaoke-CD macht's möglich!
*Seite 2*

## Jouer de la guitare de concert est amusant

Apprendre à jouer de la guitare de concert rendu très simple.
Cela est possible grâce au CD de karaoké !
*Page 29*

## Suonare la chitarra classica è divertente

Un metodo molto facile per imparare a suonare
la chitarra classica con il CD di Karaoke
*Pagina 56*

## Aprende a tocar guitarra de concierto

de manera muy sencilla.
¡Con el CD Karaoke es posible!
*Página 83*

## Having fun playing concert guitar

Learn how to play concert guitar – made very easy.
The karaoke CD makes it possible
*Page 111*

## Tocar viola é divertido

Aprender a tocar viola de forma muito fácil
O CD de karaoke torna-o possível!
*Página 137*

## Klassiek gitaar spelen is leuk

Klassiek gitaar spelen leren is niet moeilijk
De karaoke-cd helpt hierbij!
*Pagina 164*

---

Impressum:
EAN 40 20833 059651
Copyright © CLIFTON Alle Rechte
vorbehalten / Tutti i diritti riservati

Crédits :
EAN 40 20833 059651
Copyright © CLIFTON
Tous droits réservés

Nota legal:
EAN 40 20833 059651
Copyright © CLIFTON
Reservados todos los derechos

Imprint:
EAN 40 20833 059651
Copyright © CLIFTON
All rights reserved

Editorial:
EAN 40 20833 059651
Direitos de autor © CLIFTON
Todos os direitos reservados

Colofon:
EAN 40 20833 059651
Copyright © CLIFTON
Alle rechten voorbehouden

# *Konzertgitarre spielen macht Spaß*

## Inhaltsverzeichnis


| | |
|---|---|
| Einführung | 3 |
| Die Stimmung | 3 |
| Gitarrensaiten wechseln | 4 |
| Die Haltung der Gitarre | 5 |
| Die linke Hand | 5 |
| Die rechte Hand | 5 |
| Der Fingersatz | 5 |
| Unsere Noten | 6 |
| Die Taktarten | 8 |
| Wichtige musikalische Zeichen | 8 |
| He's got the Whole World in his Hands | 9 |
| Für Elise | 10 |
| Der Mond ist aufgegangen | 11 |
| Allegretto | 12 |
| Andantino- Ferdinando Carulli | 13 |
| Amazing Grace | 14 |
| Spielerei | 14 |
| Kum ba yah | 15 |
| Andantino - Fernando Sor | 16 |
| Andante | 17 |
| Romanze anonym Karaoke - Version | 18 |
| Stückchen | 19 |
| Romanze anonym Konzertgitarren - Version | 20 |
| Greensleeves | 22 |
| Bourrée | 24 |
| Capriccio | 25 |
| Ecossaise | 26 |
| My Bonnie is over the Ocean | 27 |
| Allemande | 28 |


## Inhaltsverzeichnis CD


1. Die Stimmung
2. Die C-Dur Tonleiter
3. He's got the Whole World in his Hands ..... zum Anhören
4. He's got the Whole World in his Hands ..... zum Mitspielen
5. Für Elise .......... zum Anhören
6. Für Elise .......... Karaoke, zum Mitspielen
7. Der Mond ist aufgegangen .......... zum Anhören
8. Der Mond ist aufgegangen .......... Karaoke, zum Mitspielen
9. Der Mond ist aufgegangen .......... Gitarre, zum Anhören
10. Der Mond ist aufgegangen .......... Gitarre, zum Üben
11. Allegretto .......... Gitarre, zum Anhören
12. Allegretto .......... Gitarre, zum Üben
13. Andantino .......... Gitarre, zum Anhören
14. Andantino .......... Gitarre, zum Üben
15. Amazing Grace .......... zum Anhören
16. Amazing Grace .......... Karaoke, zum Mitspielen
17. Spielerei .......... Gitarre, zum Anhören
18. Spielerei .......... Gitarre, zum Üben
19. Kum ba yah .......... zum Anhören
20. Kum ba yah .......... Karaoke, zum Mitspielen
21. Andantino .......... Gitarre, zum Anhören
22. Andantino .......... Gitarre, zum Üben
23. Andante .......... Gitarre, zum Anhören
24. Andante .......... Gitarre, zum Üben
25. Romanze anonym .......... zum Anhören
26. Romanze anonym .......... Karaoke, zum Mitspielen
27. Stückchen .......... Gitarre, zum Anhören
28. Stückchen .......... Gitarre, zum Üben
29. Romanze anonym .......... Gitarre, zum Anhören
30. Romanze anonym .......... Gitarre, zum Üben
31. Greensleeves .......... zum Anhören
32. Greensleeves .......... Karaoke, zum Mitspielen
33. Greensleeves .......... Gitarre, zum Anhören
34. Greensleeves .......... Gitarre, zum Üben
35. Bourrée .......... Gitarre, zum Anhören
36. Bourrée .......... Gitarre, zum Üben
37. Capriccio .......... Gitarre, zum Anhören
38. Capriccio .......... Gitarre, zum Üben
39. Ecossaise .......... Gitarre, zum Anhören
40. Ecossaise .......... Gitarre, zum Üben
41. My Bonnie is over the Ocean .. Gitarre, zum Anhören
42. My Bonnie is over the Ocean .. Gitarre, zum Üben
43. Allemande .......... Gitarre, zum Anhören
44. Allemande .......... Gitarre, zum Üben

# Einführung

Das Buch in Verbindung mit der CD soll dir helfen, die Welt der Konzertgitarre kennenzulernen. Es handelt sich dabei um keine klassische Gitarrenschule und soll auch den Gitarrenunterricht nicht ersetzen.
Die CD zeigt an vielen bekannten Musikbeispielen die Vielfalt der Konzertgitarre, von einfacher Liedbegleitung bis zum nicht so leicht zu spielenden „Hit“ der Konzertgitarre, der Bourrée von Johann Sebastian Bach. Für viele Lieder gibt es auf der CD eine Karaoke-Version, die es ermöglicht, wie in einer Band mitzuspielen. Alle klassischen Melodien findest du auch in einer langsam gespielten “Übungs”- Version.

**Du wirst sehen – Konzertgitarre spielen macht Spaß!**

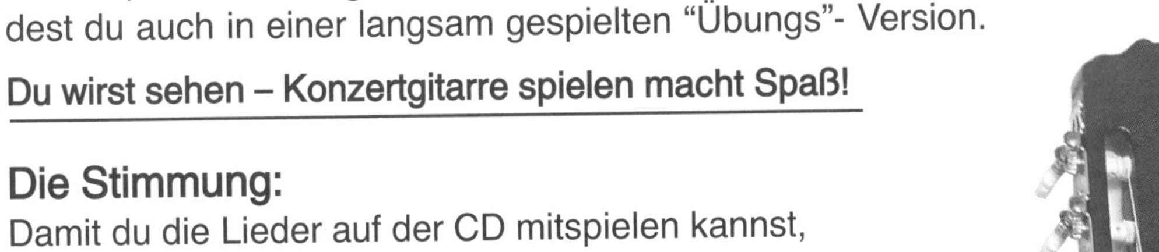

## Die Stimmung:

Damit du die Lieder auf der CD mitspielen kannst, muss die Gitarre in Stimmung gebracht werden.
Auf der CD werden alle sechs Saiten beginnend mit der tiefen E-Saite angespielt.
Nachfolgend die Bezeichnung der Saiten:

## Das Stimmgerät:

Mit dem Stimmgerät geht das Gitarrestimmen etwas einfacher. Das Gerät wird eingeschaltet und ist sofort in Bereitschaft. Wenn nun die Saite durch Spannen an den Mechaniken in den richtigen Stimmbereich kommt, zeigt die LED durch Ausschlag nach links eine zu tiefe Stimmung an, durch Ausschlag nach rechts eine zu hohe Stimmung. Erst wenn sie exakt mittig aufleuchtet, hat die Saite den richtigen Ton.

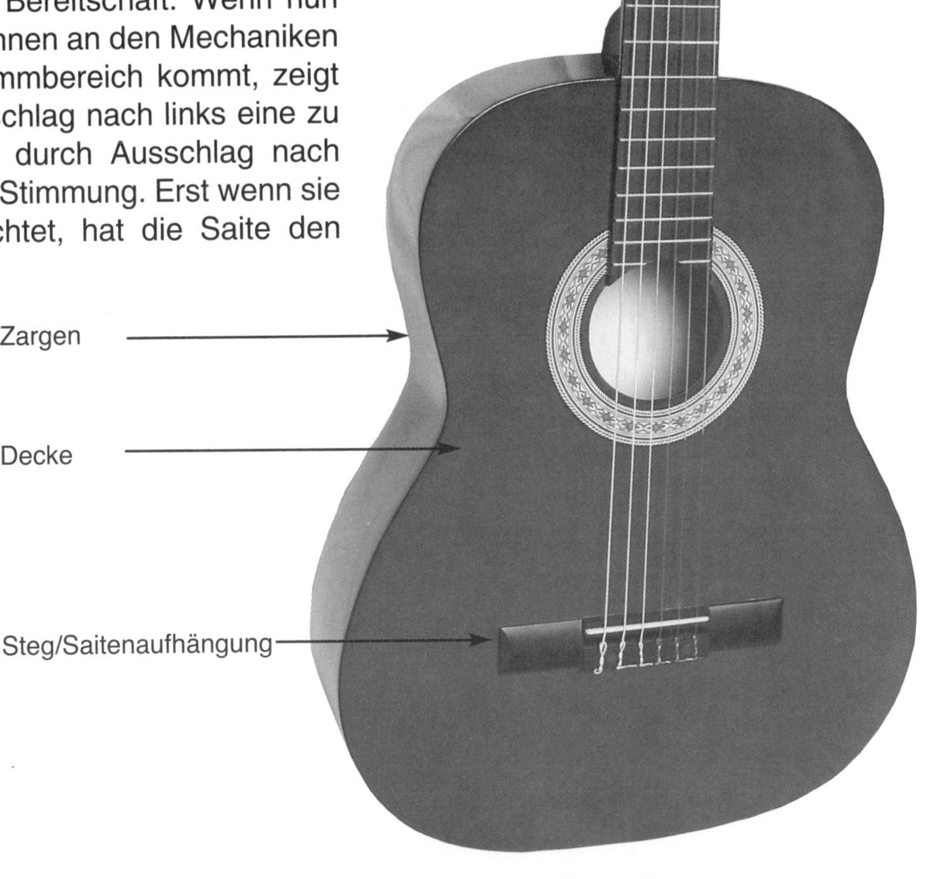

## Gitarrensaiten wechseln

Das Wechseln der Saiten ist lästig, aber ab und zu notwendig. Sie können aus verschiedenen Gründen reißen – zum Beispiel, wenn sie zu hoch gestimmt werden. Zudem ist ihre Lebensdauer begrenzt. Unter dem Einfluss von Staub, Schmutz- und Schweißablagerungen verlieren sie mit der Zeit an klanglicher Brillanz und Tonreinheit – spätestens dann solltest du deiner Gitarre einen neuen Satz Saiten spendieren.

## Gitarrensaiten aufziehen

Die Konzertgitarre ist mit Nylonsaiten bespannt, das heißt, die drei hohen Saiten sind vollständig aus Nylon, während die drei tiefen Saiten im Kern aus Nylon bestehen und mit Stahl umspannt sind.

1. Entferne die Saite, die erneuert werden soll. Entferne die Reste von gerissenen Saiten an der Mechanik und an der Saitenaufhängung.

2. Zur Befestigung der Saite am Steg gibt es unterschiedliche Möglichkeiten. Am gängigsten ist die folgende:

3. Führe die Saite durch die vorgesehene Kerbe im Sattel (Bild 2) in die entsprechende Mechanik ein. Die Saiten sind oft sehr viel länger als notwendig.

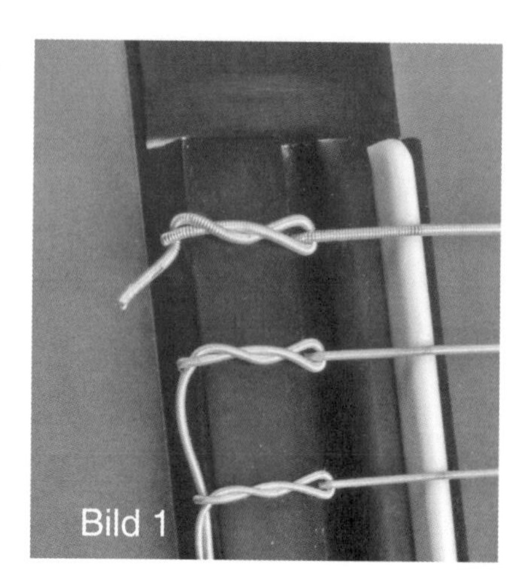
Bild 1

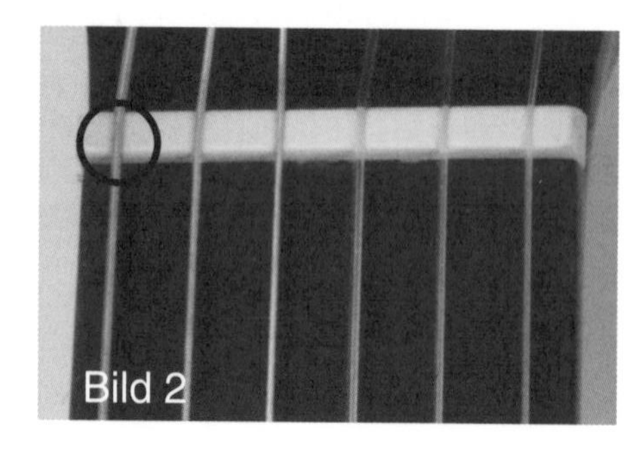
Bild 2

4. Nun drehst du am Stimmflügel der Mechanik. Die Saite sollte sich dabei drei- bis viermal um den Wirbel wickeln. Dabei ist auf eine gleichmäßige Wicklung zu achten. Zu der Spannrichtung siehe Abbildung 3. Falls eine Saitenführung vorhanden ist, die Saite dementsprechend einhängen.

5. Stimme die Saite. Um die Saitenspannung zu stabilisieren, solltest du die Saite dehnen, indem du sie über dem Griffbrett mit Hilfe der Finger ziehst und vorsichtig dehnst.

6. Stimme die Gitarre noch einmal.

7. Nimm einen Saitenschneider und zwicke den überstehenden Rest der Saite an der Mechanik ab.

8. Bis die Stimmung hält, muss in der Regel noch einige Male nachgestimmt werden. Bei Nylonsaiten ist das öfter der Fall als bei Stahlsaiten.

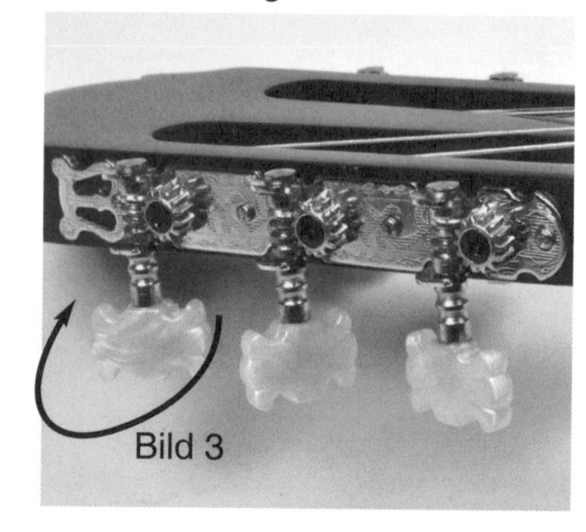
Bild 3

**Zur Pflege:**

Die Konzertgitarre ist handgearbeitetes Holzinstrument und sollte schonend behandelt werden. In der Tasche ist die Gitarre am besten vor Staub und Luftfeuchtigkeit geschützt. Die Oberfläche der Gitarre auf keinen Fall mit aggressiven Reinigungsmitteln säubern.

## Die Haltung der Gitarre

Wie auf dem Bild ersichtlich, wird die Gitarre auf das linke Bein aufgelegt. Dieses sollte mit Hilfe eines Schemels leicht erhöht werden. Es ist eine bewährte Stellung, um eine gute Balance und Spielbarkeit zu erzielen.

## Die linke Hand

In Form einer „Kralle“ wird die linke Hand am Gitarrenhals angesetzt.
Der Daumen bildet die Stütze an der Rückseite des Halses. Mit den übrigen Fingern der linken Hand werden die Saiten auf die Bünde gedrückt.

## Die rechte Hand

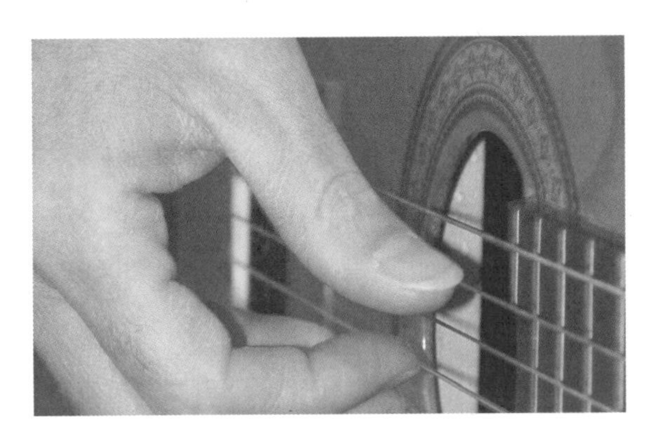

Mit ihr werden die Saiten angeschlagen. Der Arm sollte locker auf dem Korpus der Gitarre aufgestützt werden.
Für den Anschlag benutzt man den Daumen, den Zeigefinger, den Mittelfinger und den Ringfinger.

## Der Daumen der rechten Hand

In mehrstimmigen Stücken werden alle Töne, bei denen der Notenhals nach unten zeigt, mit dem Daumen angeschlagen (Beispiel 1). Hat eine Note zwei Hälse (Beispiel 2), so wird diese Note, falls nicht anders vermerkt, mit dem Daumen gespielt.

## Der Fingersatz

Um das Gitarrenspiel zu erleichtern, ist in den Noten hauptsächlich für die linke Hand ein Fingersatz angegeben. Dabei gelten folgende Bezeichnungen:
Die linke Hand: 0 = leere Saite, 1 = Zeigefinger, 2 = Mittelfinger, 3 = Ringfinger, 4 = kleiner Finger.

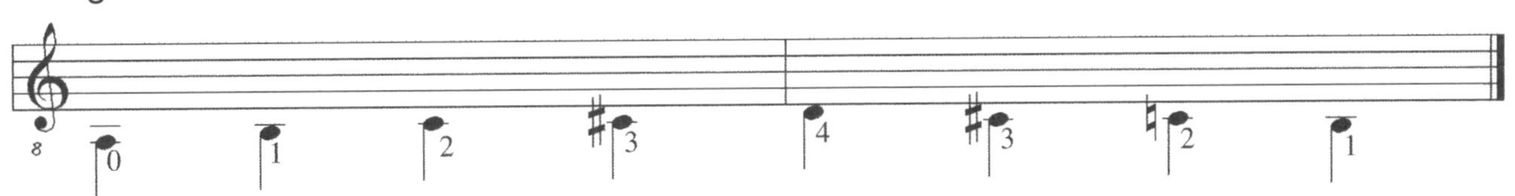

## Unsere Noten

Um Töne grafisch darzustellen, hat man die Noten erfunden.
Der folgende Teil zeigt die musikalischen Grundbegriffe auf.

### Die Tonleiter:

In der Musik gibt es sieben Stammtöne,
die sich stets wiederholen. Sie lauten: c, d, e, f, g, a, h.

Auf der CD zum Anhören Nr. 2

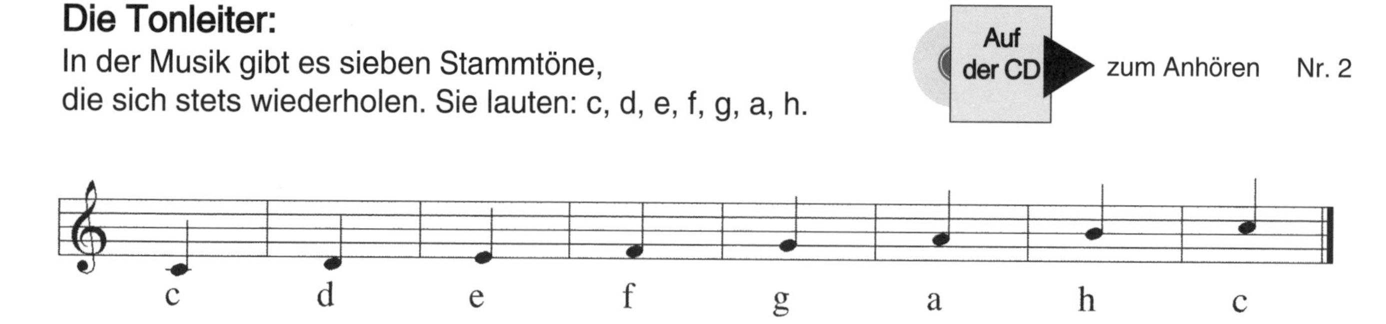


Zum Spielen verschiedener Tonarten benötigt man ein Kreuz (♯), welches den bezeichneten Ton um eine halbe Ton erhöht, und das Zeichen "b", welches die Töne einen halben Ton erniedrigt.

### Chromatische Tonleiter mit Erhöhungszeichen „♯":

### Chromatische Tonleiter mit Erniedrigungszeichen „b":

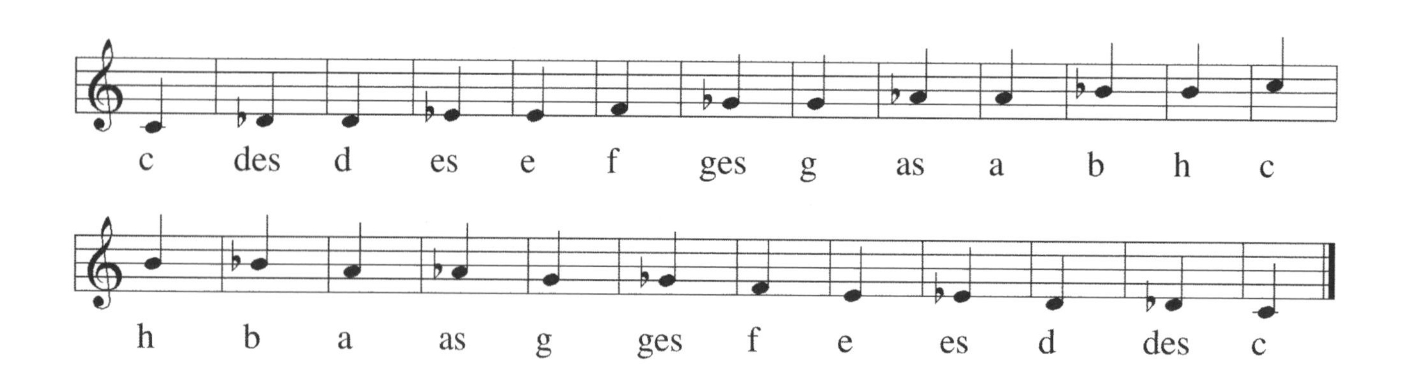

## Die Werte von Noten und Pausen

Ein Punkt hinter einer Note oder Pause verlängert diese um die Hälfte ihres Wertes!

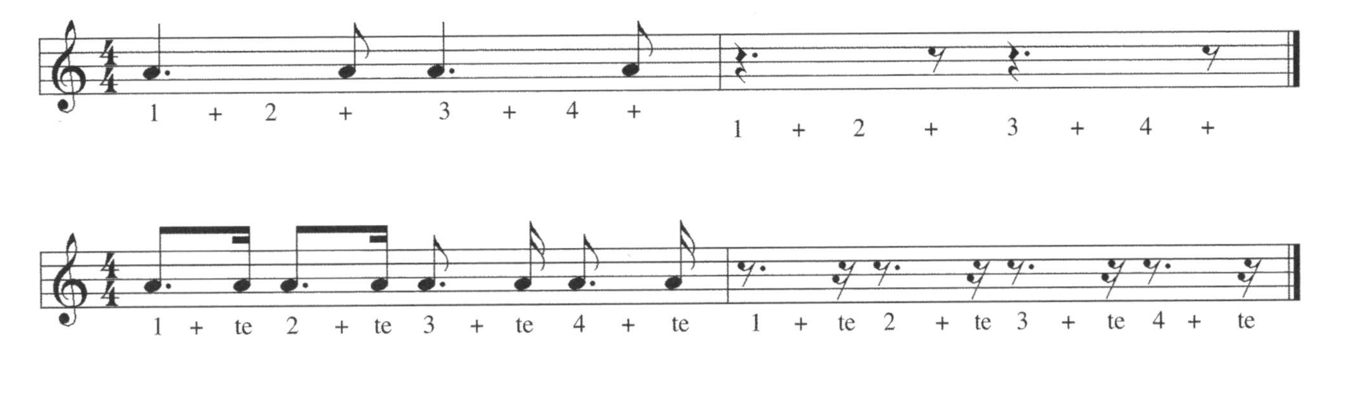

# Die Taktarten

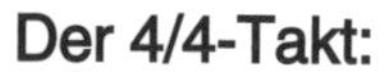

**Der 4/4-Takt:**

**Der 3/4-Takt:**

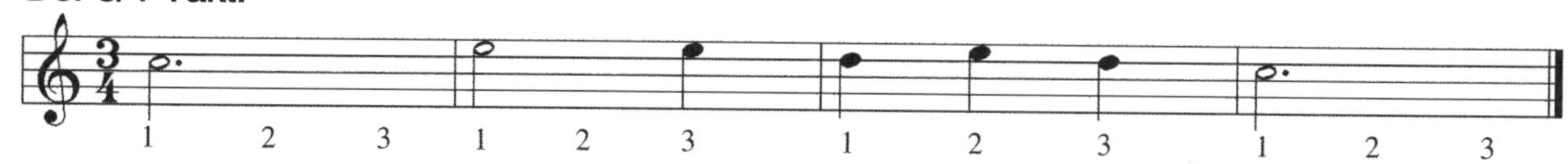


**Der 2/4-Takt:**

**Der 6/8-Takt:**

## Wichtige musikalische Zeichen

| | |
|---|---|
| ........................... | Schlusszeichen |
| ........................... | Wiederholung - alle Takte zwischen diesen Zeichen werden wiederholt |
| ........................... | Fermate - die Note wird verlängert. |
| DA CAPO *D.C.* ........................ | Wiederholung vom Anfang des Stückes |
| al ............................................ | bis zum |
| Fine ........................................ | Ende |
| DAL SEGNO *D.S.* 𝄋 ............... | Wiederholung ab DAL SEGNO Zeichen |
| 𝄌 ............................................. | Bei Wiederholung - springe von Kopf 𝄌 zu unterem Kopf 𝄌 |
| p = piano ................................ | leise gespielt |
| pp = pianissimo ..................... | sehr leise gespielt |
| f = forte ................................. | laut gespielt |
| ff = fortissimo ........................ | sehr laut gespielt |
| Arpeggio .............................. | die Töne werden vom tiefsten beginnend nacheinander angeschlagen. |

# HE'S GOT THE WHOLE WORLD IN HIS HANDS

Mit dem ersten Song, einem bekannten Spiritual, lernst du das Spielen und Begleiten mit Akkorden. Die dafür notwendigen Akkorde sind in einem Griffbild dargestellt. Auf der CD findest du eine Version mit Gitarrenbegleitung und eine „Karaoke-Version" zum Mitspielen ohne Gitarrenbegleitung.
Viel Spaß!

1.
He's got the whole world in his hands . . .

2.
He's got a tiny little baby in his hands . . .

3.
He's got the you and me brother in his hands . . .

4.
He's got the son and his father in his hands . . .

5.
He's got the mother and her daughter in his hands . . .

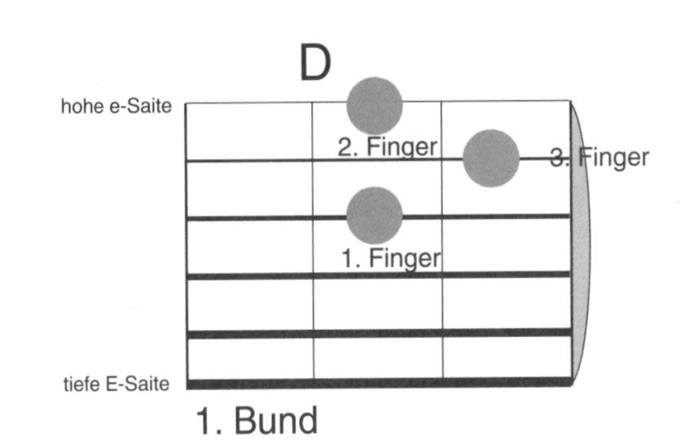


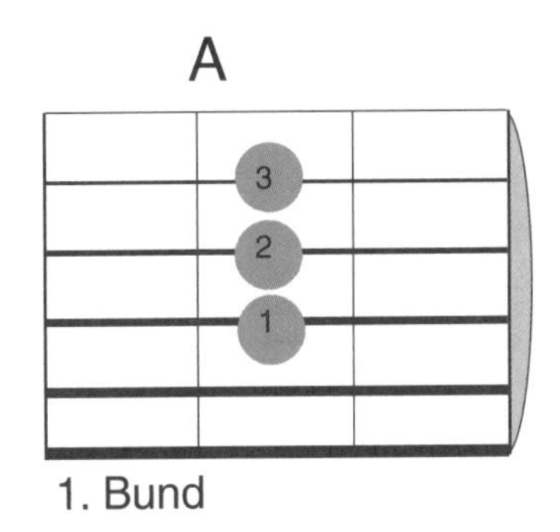

# FÜR ELISE LUDWIG VAN BEETHOVEN

Eigentlich eine Klaviermelodie von Ludwig van Beethoven. Sie klingt allerdings auch sehr reizvoll auf Konzertgitarre – gespielt zur Karaoke-CD.

Auf der CD
zum Anhören Nr. 5
zum Mitspielen Nr. 6

## DER MOND IST AUFGEGANGEN Karaoke-Version

Bei diesem wunderschönen Volkslied kannst du die Melodiestimme zur Karaoke-CD mitspielen.
Eine leichte Version gibt es auch für Konzertgitarre pur!

## DER MOND IST AUFGEGANGEN Konzertgitarren- Version

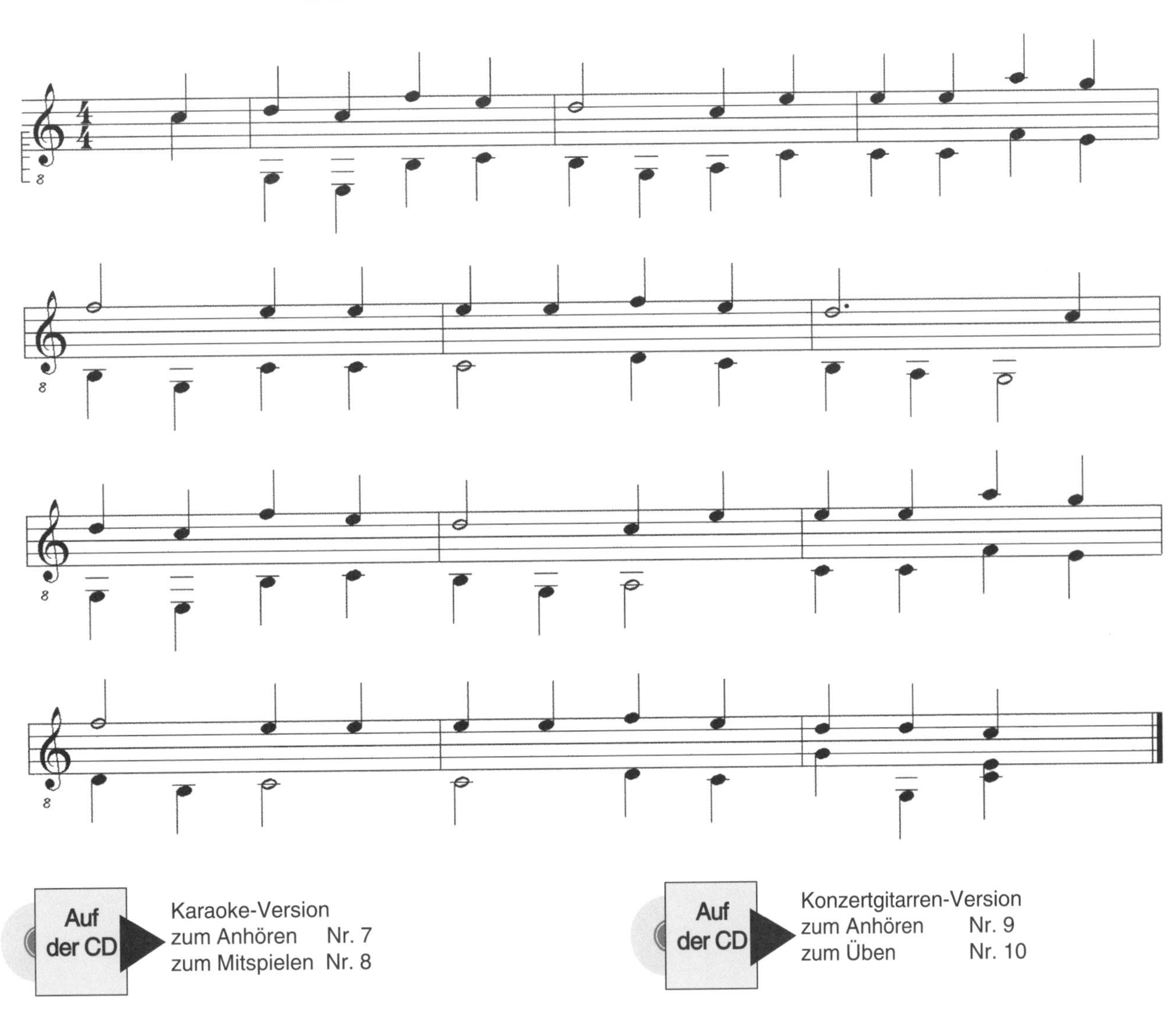

# ALLEGRETTO FERDINANDO CARULLI

**Ferdinando Carulli** wurde am 10. Februar 1770 in Neapel geboren. Er schuf insgesamt etwa 400 Werke, die meisten davon für Gitarre und Flöte.

Auf der CD
zum Anhören Nr. 11
zum Üben Nr. 12

# ANDANTINO FERDINANDO CARULLI

# AMAZING GRACE Karaoke-Version

# SPIELEREI

## KUM BA YAH, MY LORD Karaoke-Version

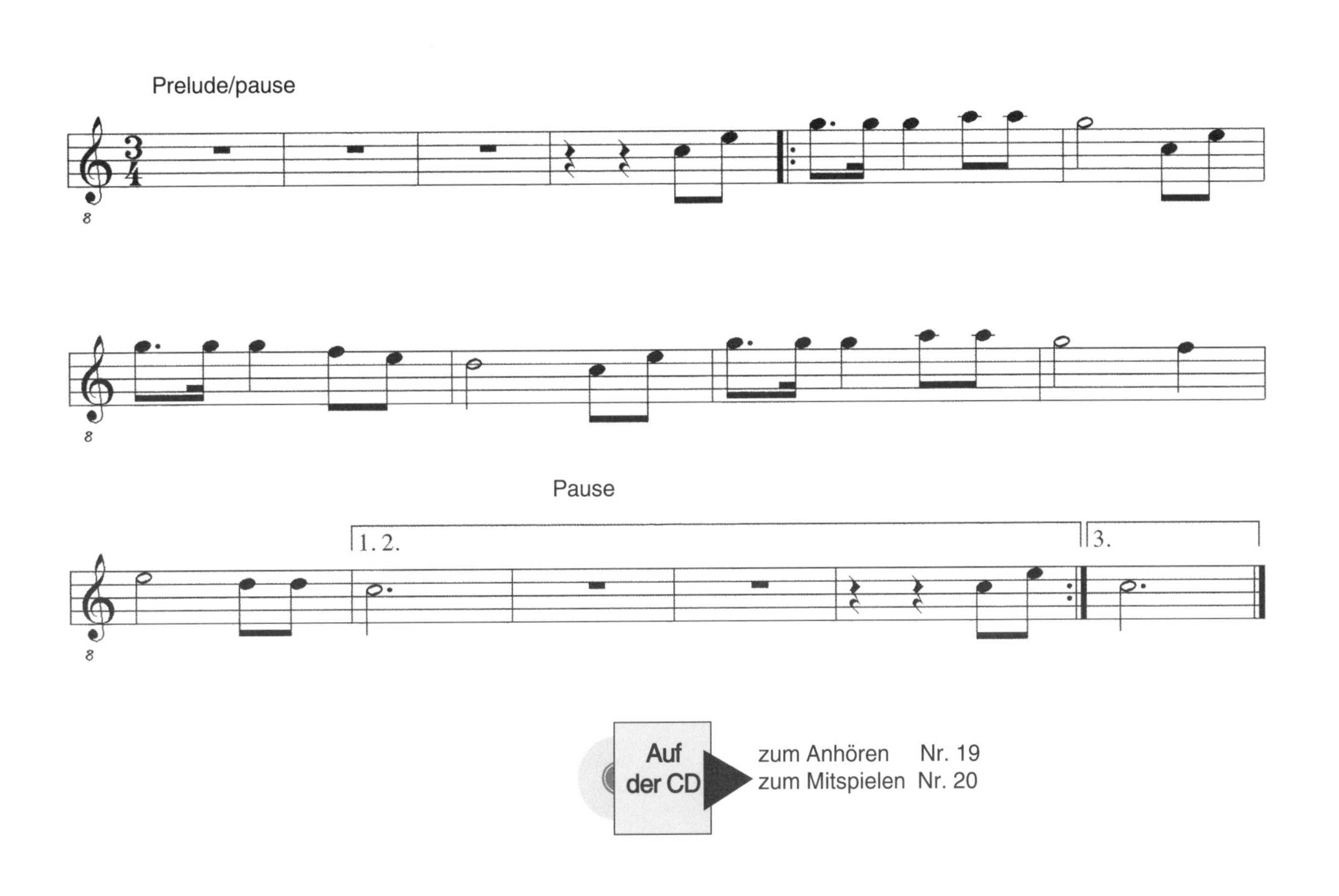

# ANDANTINO FERNANDO SOR

Fernando Sor wurde am 13. Februar 1778 in Barcelona geboren. Als Gitarrist und Komponist schrieb er sehr viele Stücke für Konzertgitarre. Das Andante und Andantino von Fernando Sor ist nur eine kleine Auswahl seiner umfangreichen Gitarren-Kompositionen.

# ANDANTE FERNANDO SOR

# ROMANZE ANONYM Karaoke-Version

Jeder kennt und liebt diesen Musiktitel. Das Stück ist schon sehr alt und der Komponist nicht bekannt.
Die Version für Konzertgitarre ist gar nicht so leicht zu spielen.

# STÜCKCHEN

# ROMANZE ANONYM Konzertgitarren-Version

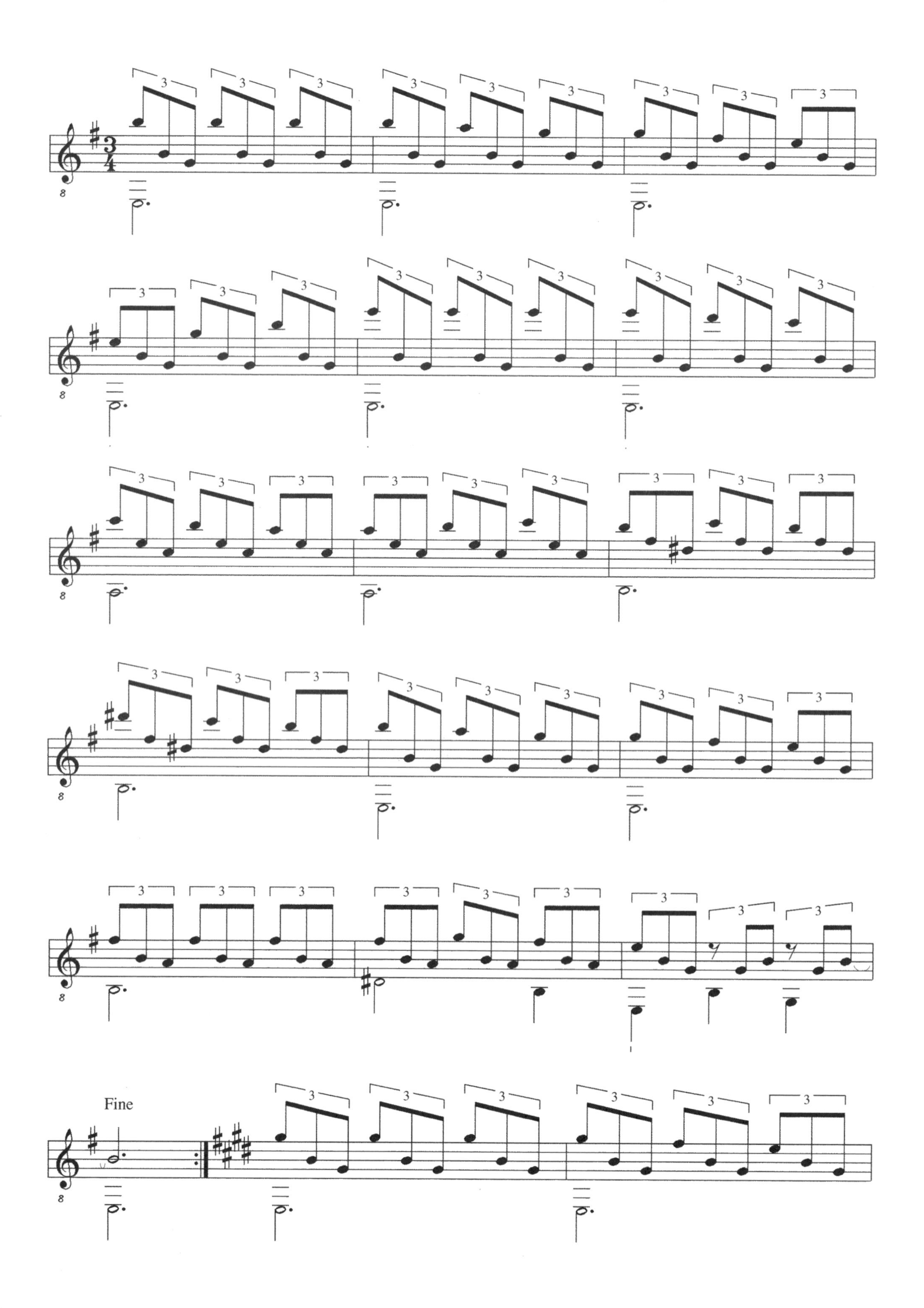

D.C al Fine
Auf der CD
zum Anhören Nr. 29
zum Üben Nr. 30

# GREENSLEEVES Karaoke-Version

Ein wunderschönes altes irisches Volkslied. Bearbeitet für das einstimmige Spielen zur CD und das mehrstimmige Spielen auf der Konzertgitarre.

Auf der CD: zum Anhören Nr. 31, zum Mitspielen Nr. 32

# GREENSLEEVES Konzertgitarren-Version

# BOURRÉE J. S. BACH

Der Gitarren-Hit von **Johann Sebastian Bach -** obwohl dieses Stück ursprünglich gar nicht für Gitarre komponiert wurde. Gitarrenmusik von Johann Sebastian Bach ist nicht leicht zu spielen und erfordert intensives Üben.

# CAPRICCIO J. GRAF LOSY VON LOSINTAL

# ECOSSAISE MAURO GIULIANI

Die Ecossaise ist ursprünglich ein alter, schottischer Volkstanz. Der italienische Gitarrist Mauro Giuliani wurde am 27.07.1781 geboren und verfasste im Laufe seines Lebens über 300 Werke für Gitarre.

zum Anhören Nr. 39
zum Üben Nr. 40

# MY BONNIE IS OVER THE OCEAN

Viele bekannte Musiker und Bands haben dieses alte Seemannslied schon bearbeitet und gespielt. Mit Hilfe der CD und ein bisschen Übung klappt das auch mit der Konzertgitarre.

**Auf der CD** zum Anhören Nr. 41
zum Üben Nr. 42

# ALLEMANDE

# *Jouer de la guitare de concert est amusant -*

## Table des matières


Introduction 30
L'accord 30
Changer les cordes de guitare 31
La tenue de la guitare 32
La main gauche 32
La main droite 32
Le doigté 32
Nos notes 33
Les types de mesures 35
Les signes musicaux importants 35
He's got the Whole World in his Hands 36
La lettre à Elise 37
Der Mond ist aufgegangen 38
Allegretto 39
Andantino / Ferdinando Carulli 40
Amazing Grace 41
Spielerei 41
Kum ba yah 42
Andantino / Fernando Sor 43
Andante 44
Romance anonyme Version karaoke 45
Stückchen 46
Romance anonyme Version guitare classique 47
Greensleeves 49
Bourrée 51
Capriccio 52
Ecossaise 53
My Bonnie is over the Ocean 54
Allemande 55


## Table des matières CD


1. L'accordage
2. La gamme do majeur
3. He's got the Whole World in his Hands ..... Pour écouter
4. He's got the Whole World in his Hands ..... Pour accompagner
5. La lettre à Elise .......... Pour écouter
6. La lettre à Elise .......... Karaoké, pour accompagner
7. Der Mond ist aufgegangen .......... Pour écouter
8. Der Mond ist aufgegangen .......... Karaoké, pour accompagner
9. Der Mond ist aufgegangen .......... Guitare, pour écouter
10. Der Mond ist aufgegangen .......... Guitare, pour s'entraîner
11. Allegretto .......... Guitare, pour écouter
12. Allegretto .......... Guitare, pour s'entraîner
13. Andantino .......... Guitare, pour écouter
14. Andantino .......... Guitare, pour s'entraîner
15. Amazing Grace .......... Pour écouter
16. Amazing Grace .......... Karaoké, pour accompagner
17. Spielerei .......... Guitare, pour écouter
18. Spielerei .......... Guitare, pour s'entraîner
19. Kum ba yah .......... Pour écouter
20. Kum ba yah .......... Karaoké, pour accompagner
21. Andantino .......... Guitare, pour écouter
22. Andantino .......... Guitare, pour s'entraîner
23. Andante .......... Guitare, pour écouter
24. Andante .......... Guitare, pour s'entraîner
25. Romance anonyme .......... Pour écouter
26. Romance anonyme .......... Karaoké, pour accompagner
27. Stückchen .......... Guitare, pour écouter
28. Stückchen .......... Guitare, pour s'entraîner
29. Romance anonyme .......... Guitare, pour écouter
30. Romance anonyme .......... Guitare, pour s'entraîner
31. Greensleeves .......... Pour écouter
32. Greensleeves .......... Karaoké, pour accompagner
33. Greensleeves .......... Guitare, pour écouter
34. Greensleeves .......... Guitare, pour s'entraîner
35. Bourrée .......... Guitare, pour écouter
36. Bourrée .......... Guitare, pour s'entraîner
37. Capriccio .......... Guitare, pour écouter
38. Capriccio .......... Guitare, pour s'entraîner
39. Ecossaise .......... Guitare, pour écouter
40. Ecossaise .......... Guitare, pour s'entraîner
41. My Bonnie is over the Ocean .. Guitare, pour écouter
42. My Bonnie is over the Ocean .. Guitare, pour s'entraîner
43. Allemande .......... Guitare, pour écouter
44. Allemande .......... Guitare, pour s'entraîner

# Introduction

A l'aide du livre et du CD, tu devrais avoir envie de te mettre à jouer de la guitare et acquérir tes premières expériences. Il ne s'agit pas ici d'une école de guitare classique et cela ne doit pas non plus remplacer la leçon de guitare. Les chansons sur le CD ne sont pas très difficiles à jouer et bientôt tu pourras accompagner l'une ou l'autre des chansons. Pour t'aider, une version avec la guitare en accompagnement est toujours disponible sur le CD pour que tu puisses écouter la mélodie dans un premier temps.
Dans la version « karaoké », la guitare est absente et tu prends en charge seul la guitare solo. C'est tout comme si l'on jouait dans un orchestre.

**Tu verras: jouer de la guitare est amusant !**

## L'accord:

Pour que tu puisses jouer les chansons qui se trouvent sur le CD, la guitare doit être accordée.
Toutes les six cordes sont jouées sur le CD, en commençant par la corde de mi grave.
Ci-dessous, le nom des cordes:

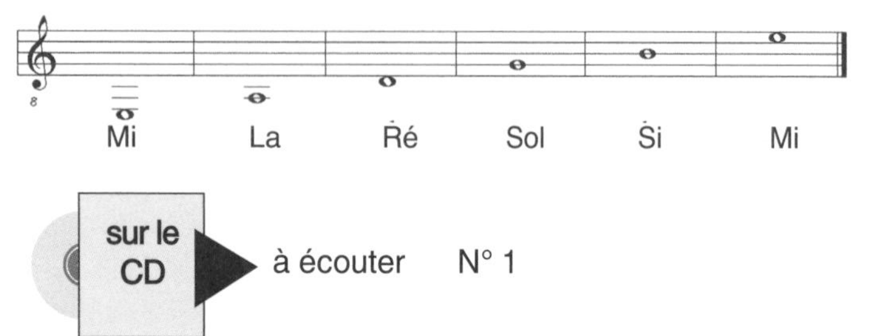


## L'accordeur:

Grâce à l'accordeur, l'accord de la guitare se fait plus facilement. L'appareil est allumé et se met immédiatement en veille, prêt à être utilisé. Si maintenant la corde arrive, de part le serrage au niveau des mécaniques, dans la zone correcte d'accord, la LED indique par un écart vers la gauche un accord trop bas, et par un écart vers la droite, un accord trop haut. C'est seulement lorsque la LED éclaire exactement au milieu que la corde a le bon son.

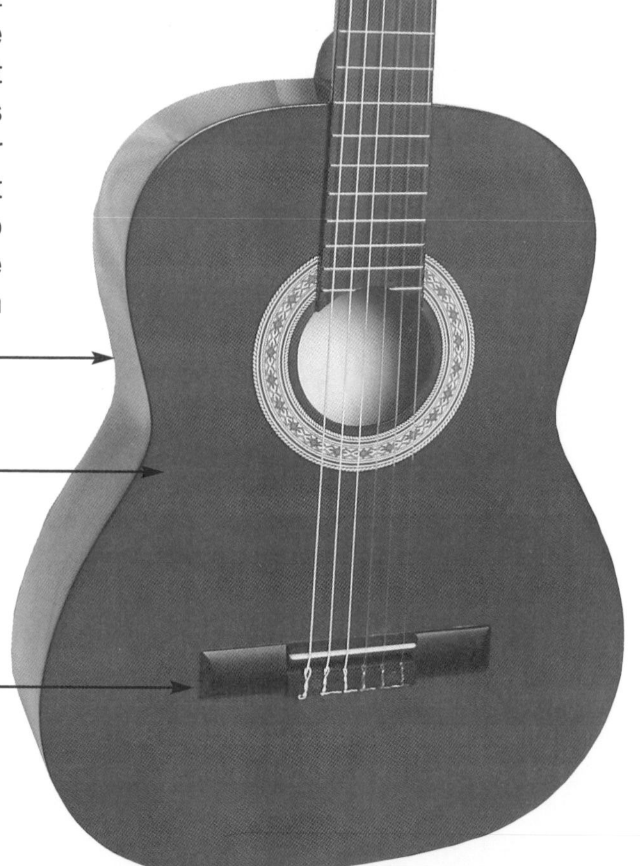

## Changer les cordes de guitare

Le changement des cordes est astreignant, mais de temps en temps nécessaire. Elles peuvent se casser pour des raisons différentes, par exemple si elles ont été accordées trop haut. En outre, leur durée de vie est limitée. Sous l'influence de la poussière, des dépôts de saleté et de sueur, elles perdent avec le temps en éclat sonore et en propreté du son, et tu devrais alors au plus tard, offrir à ta guitare un nouveau jeu de cordes.

## Mettre les cordes de guitare

La guitare classique est cordée avec des cordes en nylon, à savoir que les trois cordes aiguës sont complètement en nylon, alors que les trois cordes basses ont un noyau en nylon avec de l'acier enroulé autour.

1. Enlève la corde qui doit être remplacée. Dans le cas de cordes effilochées, enlève les restes dans la mécanique et dans le chevalet.

2. Pour fixer la corde au chevalet, il existe différentes possibilités. La plus courante est la suivante:

Image 1

3. Introduis la corde par l'entaille prévue dans le sillet de tête dans la mécanique correspondante (Image 2). Les cordes sont souvent beaucoup plus longues que nécessaire.

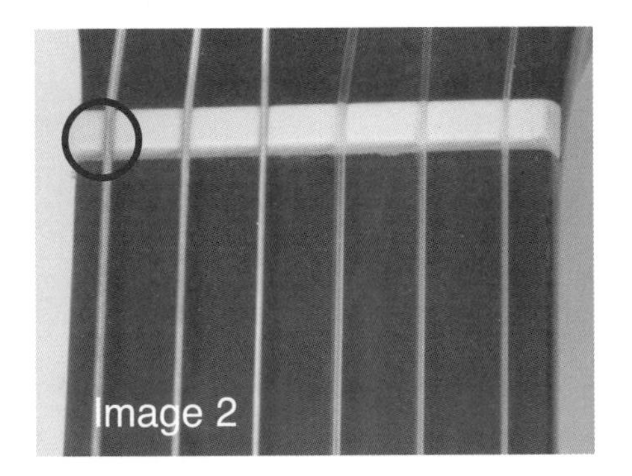
Image 2

4. Maintenant tu tournes la clé de la mécanique. Lors de cette action, la corde devrait s'enrouler trois à quatre fois autour du rouleau. Il faut alors faire attention à un enroulement régulier. Pour la direction de tension, voir l'illustration 3. Si une conduite de corde est disponible, alors accrocher la corde convenablement.

5. Accorder la corde. Pour stabiliser la tension de la corde, tu devrais étirer la corde en la tirant à l'aide des doigts sur la touche et en l'étirant prudemment.

6. Accorde ta guitare encore une fois.

7. Prends une pince coupante pour corde et pince le reste de corde qui dépasse au niveau de la mécanique.

Pour que l'accord tienne, il faut en général réaccorder encore quelques fois.

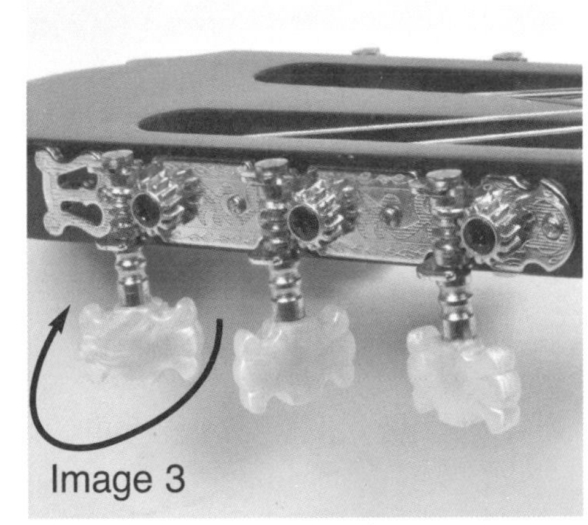
Image 3

### Concernant l'entretien:

La guitare classique est un instrument de bois fait à la main, qui doit être traité soigneusement. C'est dans sa housse que la guitare est la mieux protégée contre la poussière et l'humidité de l'air. Ne nettoyer en aucun cas la surface de la guitare avec des produits de nettoyage agressifs.

## La tenue de la guitare

Tel que l'on peut l'observer sur l'image, la guitare repose sur la jambe gauche. Celle-ci peut être facilement relevée à l'aide d'un tabouret. C'est une position efficace pour un bon équilibre et le plaisir de jouer.

## La main gauche

La main gauche est placée sur le manche de la guitare en prenant la forme d'une « serre ». Le pouce sert d'appui à l'arrière du manche. Avec les autres doigts de la main gauche les cordes sont pressées sur les barrettes.

## La main droite

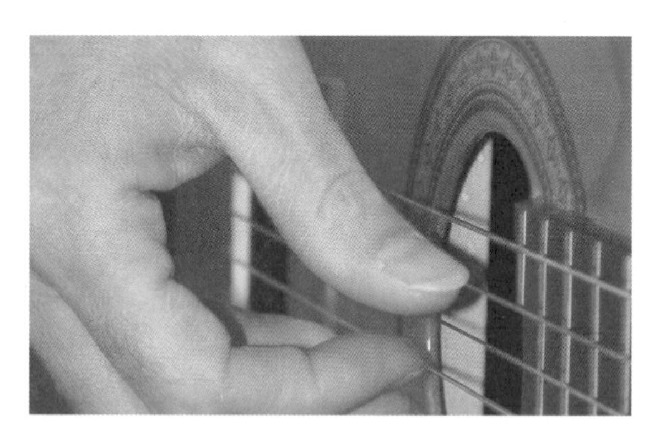

On fait vibrer les cordes avec cette main. Le bras droit doit reposer sur la caisse de la guitare tout en étant relâché.
Le pouce, l'index, le majeur et l'annulaire sont nécessaires pour faire vibrer les cordes.

## Le pouce de la main droite

Dans les morceaux polyphoniques, toutes les notes dont la queue pointe vers le bas sont réalisées à l'aide du pouce (exemple 1). Si une note est composée de deux queues (exemple 2), elle est jouée avec le pouce, sauf en cas d'indication contraire.

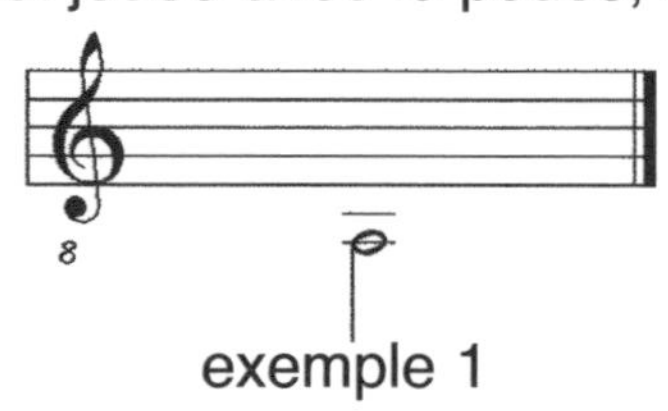

exemple 1

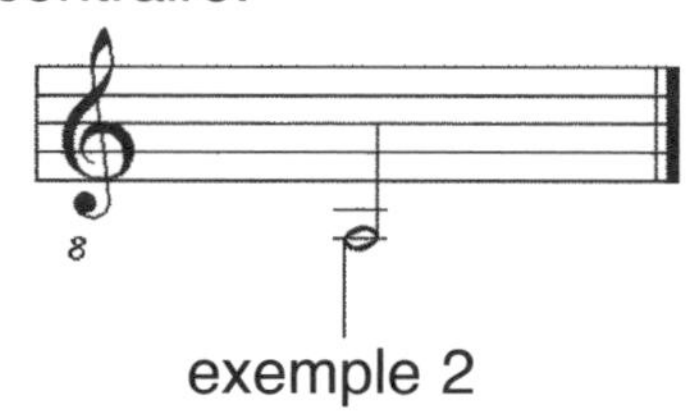

exemple 2

## Le doigté:

Pour jouer de la guitare plus facilement, un doigté est indiqué dans les notes, principalement pour la main gauche.
La main gauche: 0 = corde vide, 1 = index, 2 = majeur, 3 = annulaire, 4 = auriculaire.

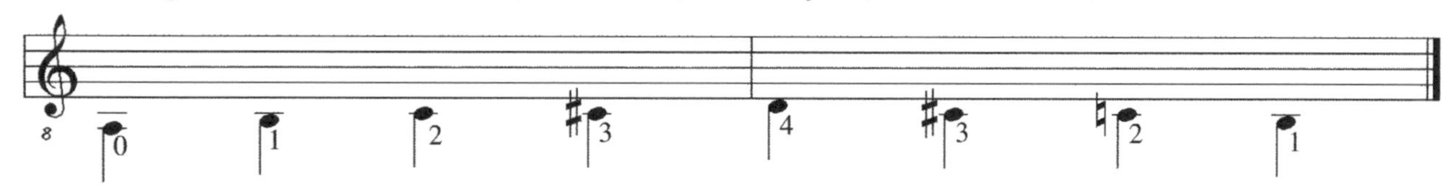

# Nos notes

Pour représenter graphiquement les tons, on a créé les notes. La section suivante présente les notions de base de la musique.

Sur le CD pour écouter n° 2

## La gamme:

En musique, il existe sept notes de base, qui se répètent en permanence. Elles sont les suivantes: do, ré, mi, fa, sol, la, si.

Pour jouer les différents types de tons, il faut un dièse (#), qui élève le ton défini d'un demi-ton et le signe « b », qui abaisse les tons d'un demi-ton.

## Gamme avec signe d'élévation « # »

## Gamme avec signe d'abaissement « b »

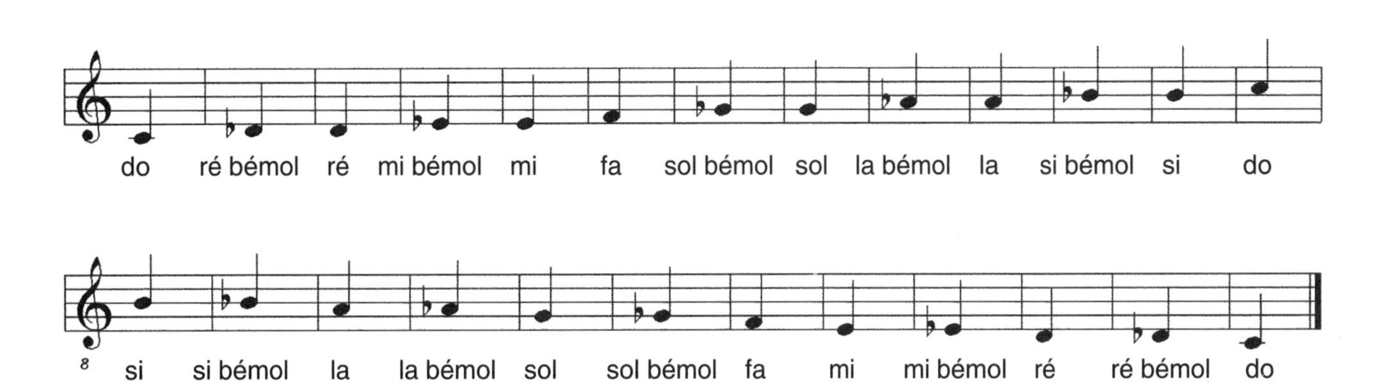

## La valeur des notes et des pauses

Un point derrière une note ou une pause allonge sa valeur de moitié.

# Les types de mesures

### La mesure 4/4

### La mesure 3/4

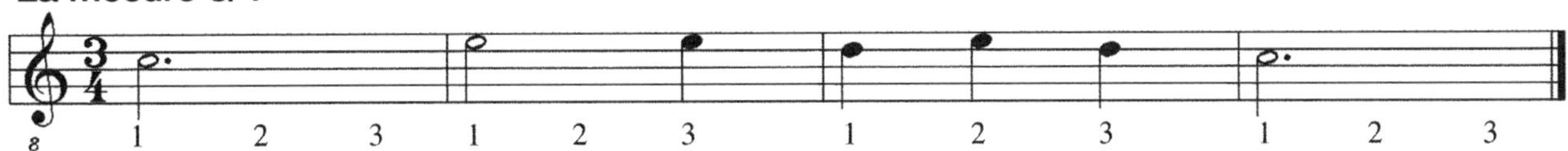


### La mesure 2/4

### La mesure 6/8

# Les signes musicaux importants

........................... Double barre

........................... Répétition de toutes les mesures entre ces signes

........................... Point d'orgue: la note est prolongée.

DA CAPO *D.C.* ......................... Répétition depuis le début du morceau

al ........................................... jusqu'à

Fine ....................................... Fin

DAL SEGNO *D.S.* 𝄋 ............... Répétition à partir du signe DAL SEGNO

𝄌 ............................................ Lors d'une répétition: passe de tête
𝄌 en tête 𝄌

p = piano ............................... joué doucement

pp = pianissimo .................... joué très doucement

f = forte ................................ joué fort

ff = fortissimo ....................... joué très fort

Arpeggio ............................. les sons sont frappés l´un après l´autre en commençant par le plus bas.

# HE'S GOT THE WHOLE WORLD IN HIS HANDS

Grâce à la première chanson, une chanson spirituelle, tu apprends à jouer et à accompagner à l'aide d'accords. Les accords nécessaires pour ce faire sont représentés sur une image de doigté. Sur le CD, tu trouveras une version avec accompagnement à la guitare et une « version karaoké » sans accompagnement à la guitare, pour que tu l'accompagnes. Amuse-toi bien !

1.
He's got the whole world in his hands . . .

2.
He's got a tiny little baby in his hands . . .

3.
He's got the you and me brother in his hands . . .

4.
He's got the son and his father in his hands . . .

5.
He's got the mother and her daughter in his hands . . .

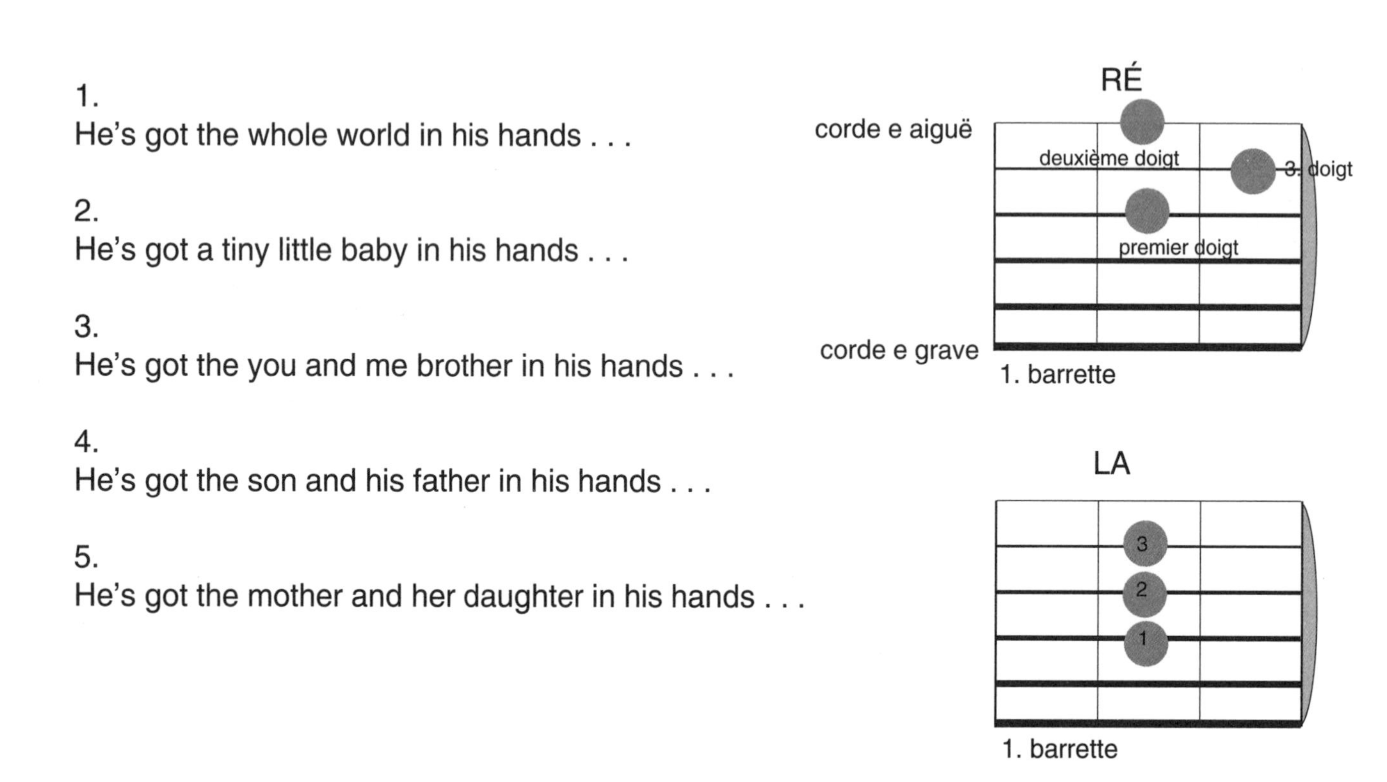


Sur le CD

pour écouter n° 3
pour s'entraîner n° 4

# LA LETTRE À ELISE LUDWIG VAN BEETHOVEN

Il s'agit en fait d'une mélodie pour piano de Ludwig van Beethoven. Elle est également très charmante lorsqu'elle est jouée avec la guitare de concert avec le CD de karaoké.

# DER MOND IST AUFGEGANGEN Version karaoké

Avec cette magnifique chanson folklorique, tu peux jouer la mélodie avec le CD de karaoké.
Une version simple existe également pour du 100% guitare de concert !

# DER MOND IST AUFGEGANGEN Version guitare de concert

Sur le CD
Version karaoké
pour écouter n° 7
pour s'entraîner n° 8

Sur le CD
Version guitare de concert
pour écouter n° 9
pour s'entraîner n° 10

# ALLEGRETTO FERDINANDO CARULLI

Ferdinando Carulli est né le 10 février 1770 à Naples.
Il a élaboré près de 400 oeuvres, notamment pour guitare et pour flûte.

Sur le CD
pour écouter n° 11
pour s'entraîner n° 12

# ANDANTINO FERDINANDO CARULLI

# AMAZING GRACE

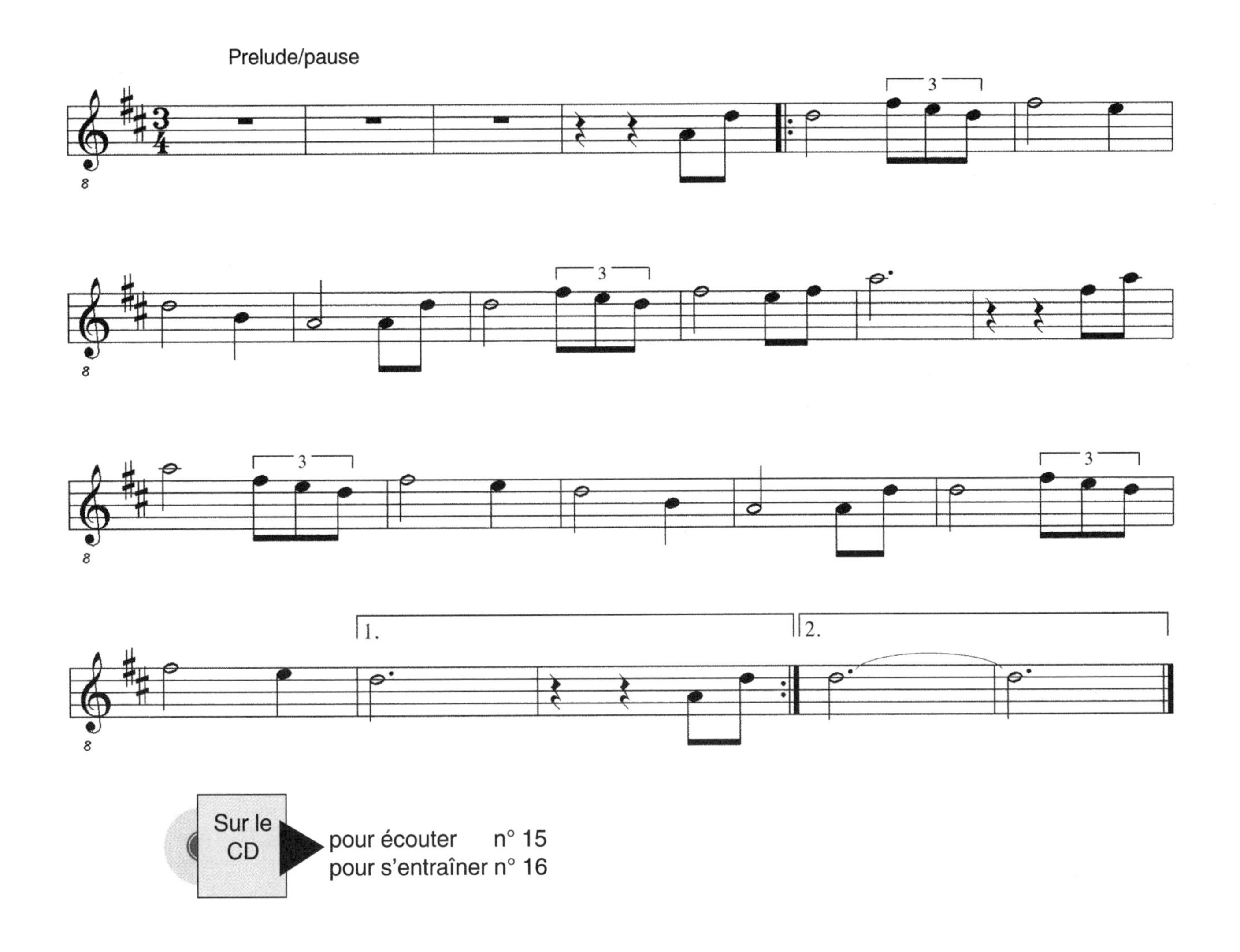


# SPIELEREI

## KUM BA YAH, MY LORD Version karaoké

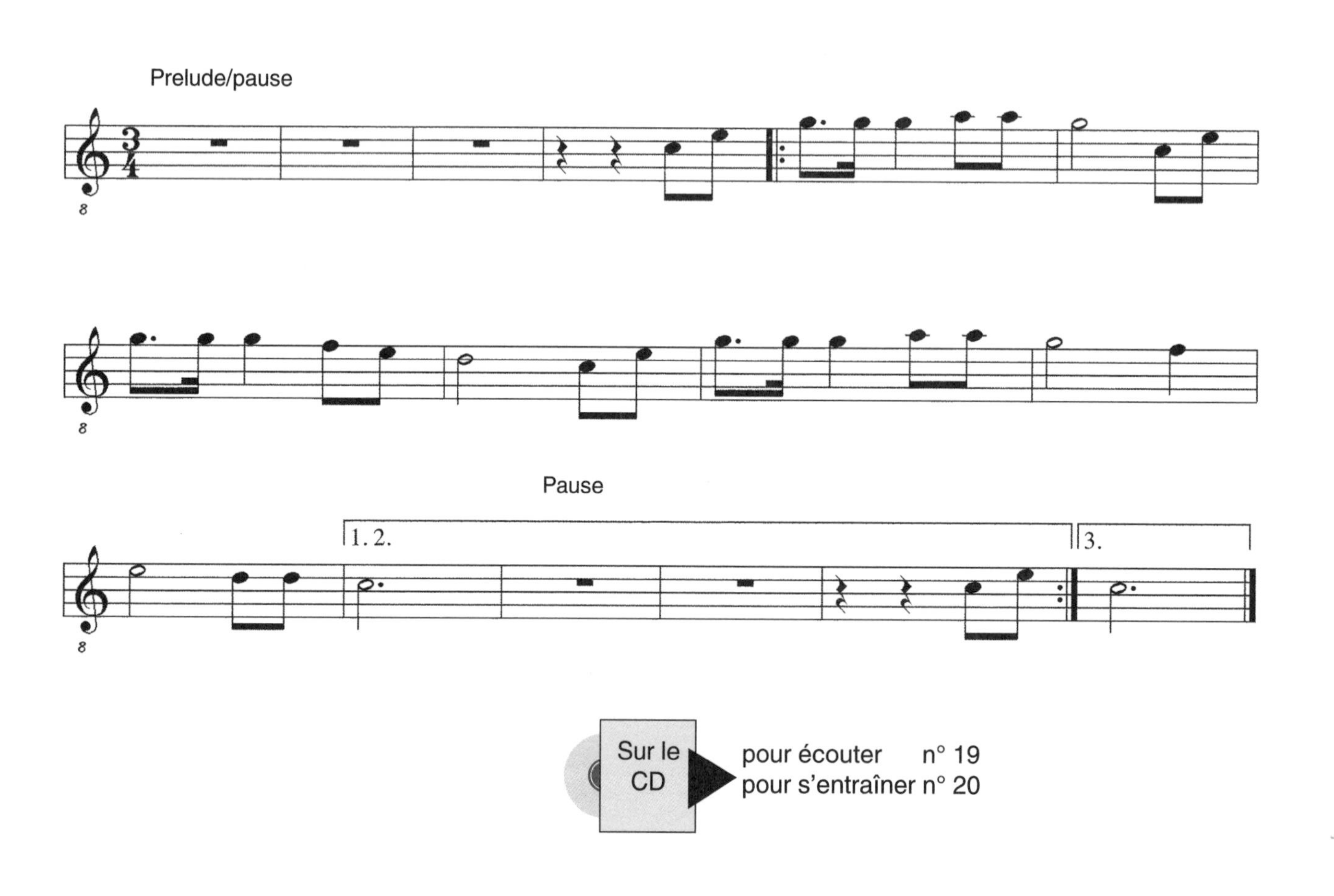

# ANDANTINO FERNANDO SOR

Fernando Sor est né le 13 février 1778 à Barcelone. Guitariste et compositeur, il a écrit de très nombreux morceaux pour guitare de concert. L'Andante et Andantino de Fernando Sor ne sont qu'une infime partie sélectionnée de ses nombreuses compositions pour guitare.

# ANDANTE FERNANDO SOR

# ROMANCE ANONYME Version karaoké

Tout le monde connaît et apprécie ce titre. Le morceau est déjà très ancien et le compositeur n'est pas connu.
La version pour guitare de concert n'est pas si simple à jouer.

# STÜCKCHEN

# ROMANCE ANONYME Version guitare classique

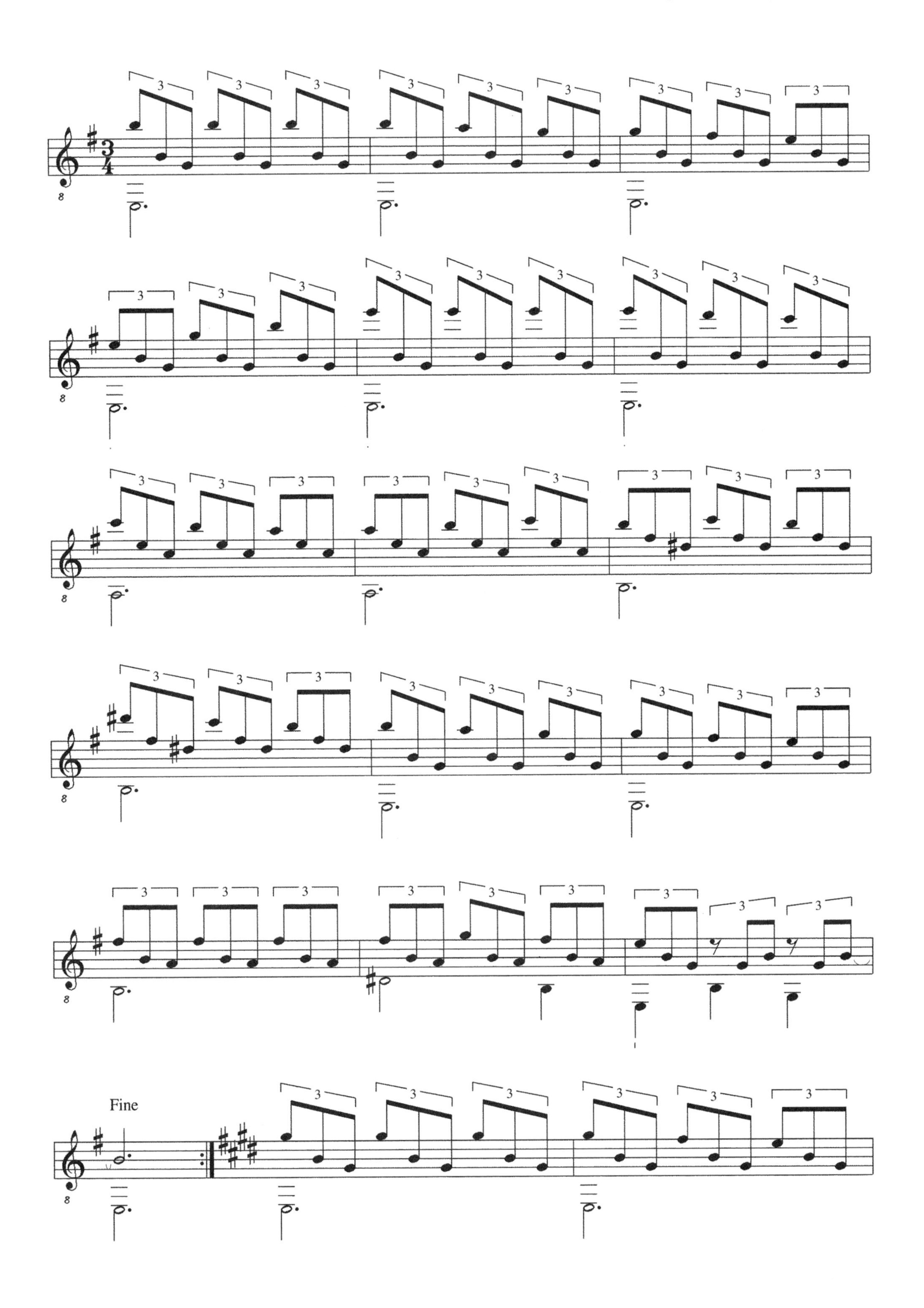

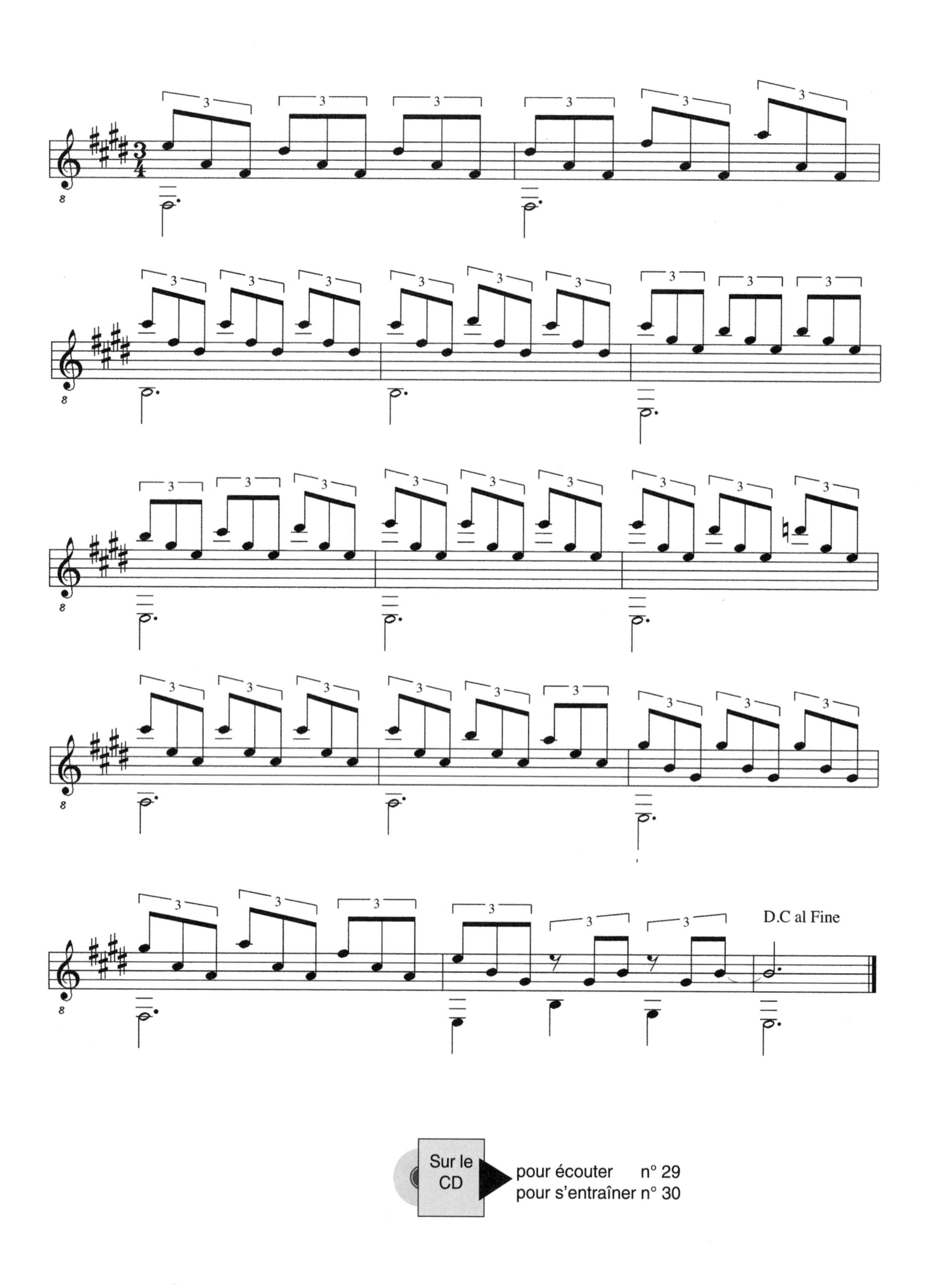
D.C al Fine
Sur le CD
pour écouter n° 29
pour s'entraîner n° 30

# GREENSLEEVES Version karaoké

Une magnifique ancienne chanson folklorique irlandaise. Modifiée pour être jouée à l'unisson avec le CD et pour être jouée en polyphonie à la guitare de concert.

Sur le CD ▶ pour écouter n° 31
pour s'entraîner n° 32

## GREENSLEEVES Version guitare classique

# BOURRÉE J. S. BACH

Le chef d'œuvre à la guitare de **Jean-Sébastien Bach**, bien qu'à l'origine ce morceau n'ait pas du tout été composé pour la guitare. La musique pour guitar de Jean-Sébastien Bach n'est pas simple à jouer et requière un entraînement intensif.

Sur le CD ▶ pour écouter n° 35
pour s'entraîner n° 36

# CAPRICCIO J. GRAF LOSY VON LOSINTAL

# ECOSSAISE MAURO GIULIANI

L'Ecossaise est à l'origine une ancienne danse folklorique écossaise.
Maruo Giulianin né le 27 juillet 1781, compositeur et guitariste italien, écrivait durant sa vie plus de 300 oeuvres pour guitare.

pour écouter n° 39
pour s'entraîner n° 40

# MY BONNIE IS OVER THE OCEAN

Nombreux sont les musiciens et groupes de musiques connus qui ont déjà repris et joué cette ancienne chanson de marin. Avec le CD et un peu d'entraînement, il est également possible de la jouer avec la guitare de concert.

Sur le CD
pour écouter n° 41
pour s'entraîner n° 42

# ALLEMANDE

# *Suonare la chitarra classica è divertente*

## Indice


Introduzione 57
L'accordatura 57
Come sostituire le corde 58
Come tenere in mano la chitarra 59
La mano sinistra 59
La mano destra 59
I numeri delle dita 59
Le nostre note 60
Le misure 62
Importanti simboli musicali 62
He's got the Whole World in his Hands 63
Per Elisa 64
Der Mond ist aufgegangen 65
Allegretto 66
Andantino - Ferdinando Carulli 67
Amazing Grace 68
Spielerei 68
Kum ba yah 69
Andantino - Fernando Sor 70
Andante 71
Romanza anonima Versione karaoke 72
Stückchen 73
Romanza anonima Versione per chitarra classica 74
Greensleeves 76
Bourrée 78
Capriccio 79
Ecossaise 80
My Bonnie is over the Ocean 81
Allemande 82


## Indice del CD


1. L'accordatore:
2. La scala in do maggiore
3. He's got the Whole World in his Hands ..... Da ascoltare
4. He's got the Whole World in his Hands ..... Per suonare
5. Per Elisa ........ Per l'ascolto
6. Per Elisa ........ Karaoke, per suonare
7. Der Mond ist aufgegangen ........ Da ascoltare
8. Der Mond ist aufgegangen ........ Karaoke, per suonare
9. Der Mond ist aufgegangen ........ Chitarra, da ascoltare
10. Der Mond ist aufgegangen ........ Chitarra, da esercitarsi
11. Allegretto ........ Chitarra, da ascoltare
12. Allegretto ........ Chitarra, da esercitarsi
13. Andantino ........ Chitarra, da ascoltare
14. Andantino ........ Chitarra, da esercitarsi
15. Amazing Grace ........ Per l'ascolto
16. Amazing Grace ........ Karaoke, per suonare
17. Spielerei ........ Chitarra, da ascoltare
18. Spielerei ........ Chitarra, da esercitarsi
19. Kum ba yah ........ Per l'ascolto
20. Kum ba yah ........ Karaoke, per suonare
21. Andantino ........ Chitarra, da ascoltare
22. Andantino ........ Chitarra, da esercitarsi
23. Andante ........ Chitarra, da ascoltare
24. Andante ........ Chitarra, da esercitarsi
25. Romanze anonym ........ Per l'ascolto
26. Romanze anonym ........ Karaoke, per suonare
27. Stückchen ........ Chitarra, da ascoltare
28. Stückchen ........ Chitarra, da esercitarsi
29. Romanza anonima ........ Chitarra, da ascoltare
30. Romanza anonima ........ Chitarra, da esercitarsi
31. Greensleeves ........ Per l'ascolto
32. Greensleeves ........ Karaoke, per suonare
33. Greensleeves ........ Chitarra, da ascoltare
34. Greensleeves ........ Chitarra, da esercitarsi
35. Bourrée ........ Chitarra, da ascoltare
36. Bourrée ........ Chitarra, da esercitarsi
37. Capriccio ........ Chitarra, da ascoltare
38. Capriccio ........ Chitarra, da esercitarsi
39. Ecossaise ........ Chitarra, da ascoltare
40. Ecossaise ........ Chitarra, da esercitarsi
41. My Bonnie is over the Ocean .. Chitarra, da ascoltare
42. My Bonnie is over the Ocean .. Chitarra, da esercitarsi
43. Allemande ........ Chitarra, da ascoltare
44. Allemande ........ Chitarra, da esercitarsi

# Introduzione

Il libro in abbinamento con il CD ti vuole essere di aiuto per iniziare a conoscere il mondo della chitarra classica. Questa guida non intende essere una vera e propria scuola di musica e nemmeno sostituire le lezioni di chitarra.
Il CD con numerosi esempi musicali molto conosciuti ti mostrerà la versatilità della chitarra classica, iniziando con semplici accompagnamenti per terminare con un “successo” non proprio facilissimo da suonare, il Bourrée di Johann Sebastian Bach. Per molti brani è disponibile nel CD una versione karaoke che ti permetterà di suonare come se fossi in un gruppo musicale. Tutte le melodie classiche sono disponibili anche in una versione “di allenamento” suonata lentamente.

**Vedrai: suonare la chitarra classica è divertente!**

meccaniche per accordatura

capotasto

manico

asticelle dei tasti

corda mi (grave)

corda la

corda re

corda sol

corda si

corda mi (acuto)

## L’accordatura:

Per poter suonare i brani contenuti nel CD è necessario accordare la chitarra.
Nel CD sono nominate e fatte suonare una ad una tutte le 6 corde.
Ecco la denominazione delle corde:

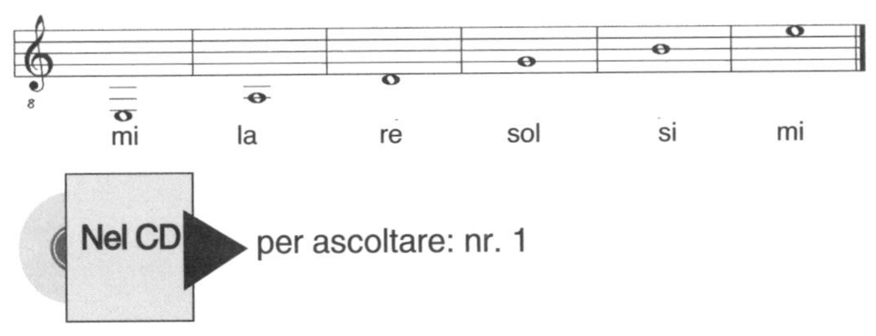


per ascoltare: nr. 1

## L’accordatore:

Con l’ausilio di un accordatore ti sarà più facile accordare la chitarra. Una volta accesa, l'apparecchiatura è subito pronta all'uso. Se ora, utilizzando le meccaniche, porti una corda al giusto intervallo di tensione, i LED si illumineranno verso sinistra se la corda produce un suono troppo grave, e verso destra se la corda produce un suono troppo acuto. La corda produce la nota giusta solo quando i LED si illumineranno esattamente al centro.

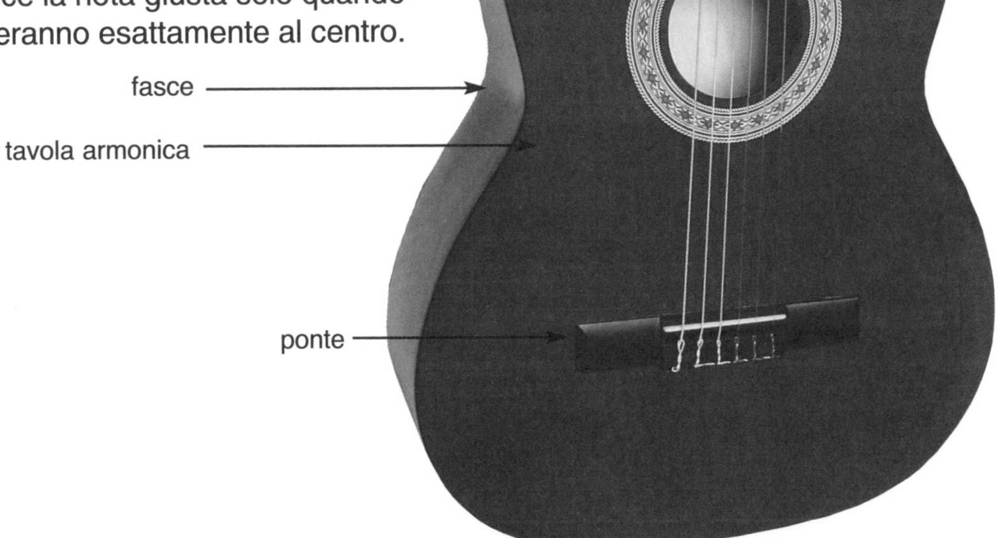

## Come sostituire le corde

Sostituire le corde è una cosa fastidiosa, ma che di tanto in tanto è necessario fare. Le corde possono strapparsi per diversi motivi, ad esempio quando sono troppo tese. Inoltre, la loro durata in buono stato è limitata. Sottoposte all'influenza di polvere, sporcizia e residui di sudore, con il passare del tempo le corde perdono brillantezza e pulizia di suono; è proprio questo il momento giusto per "regalare" alla tua chitarra un set di corde nuove.

## Come applicare le corde

La chitarra classica ha le corde di nylon: le tre corde più sottili sono interamente in nylon, mentre le tre corde più spesse sono anch'esse in nylon, ma sono rivestite in acciaio.

1. Togli la corda che vuoi sostituire. Elimina le parti residue dalle meccaniche e dal ponte.

2. Esistono diverse opportunità per fissare la corda al ponte. Ecco quella utilizzata più comunemente:

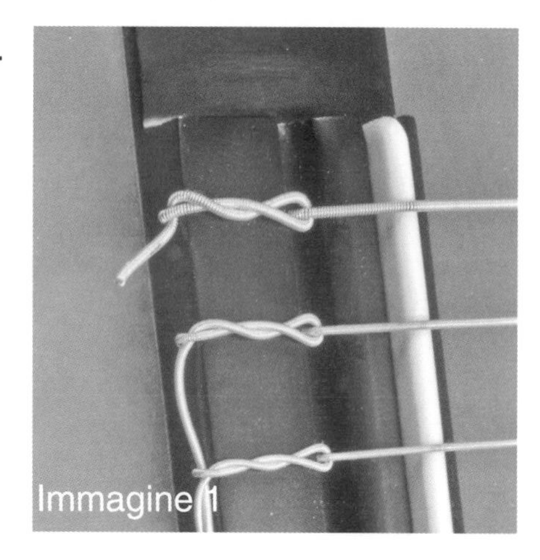

Immagine 1

3. Fai passare la corda per la scanalatura nel capotasto e inseriscila nella meccanica corrispondente (immagine 2). Spesso le corde sono molto più lunghe del necessario.

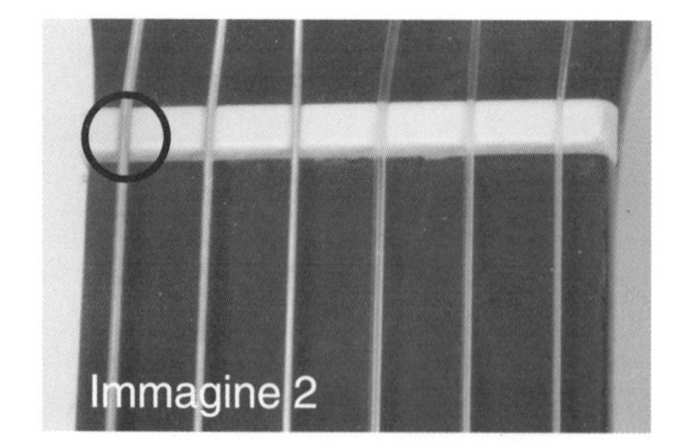

Immagine 2

4. Ora gira la chiavetta della meccanica. La corda dovrebbe fare tre o quattro giri attorno al perno. Fai attenzione ad avvolgere la corda in modo regolare. Per vedere la direzione giusta delle corde, guarda l'immagine 3. Se dovesse essere disponibile una guida, utilizzala per fissare le corde.

5. Accorda la chitarra. Per stabilizzare la tensione devi tendere la corda prendendola in un punto del manico e tirandola.

6. Ora accorda di nuovo la chitarra.

7. Prendi una pinza per corde ed elimina la parte in eccesso che fuoriesce dalla meccanica.

8. Normalmente è necessario ripetere l'accordatura un paio di volte in modo che essa rimanga stabile. Le corde in nylon devono essere accordate più volte rispetto alle corde di acciaio.

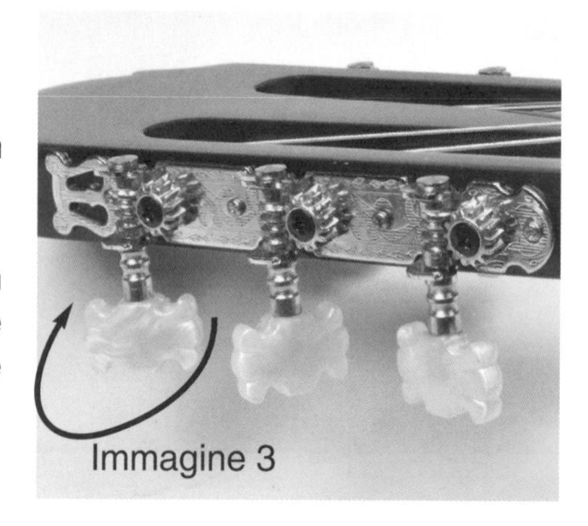

Immagine 3

## Indicazioni sulla cura dello strumento:

La chitarra classica è uno strumento in legno realizzato a mano che deve essere trattato con cura.
La custodia garantisce alla chitarra la migliore protezione dalla polvere e dalla sporcizia.
Non pulire per nessun motivo la superficie della chitarra con detergenti aggressivi.

## Come tenere in mano la chitarra

Come puoi vedere nell'immagine la chitarra va poggiata sulla gamba sinistra, che è meglio sollevare leggermente con l'aiuto di un poggiapiedi. Si tratta di una posizione che garantisce un buon equilibrio e permette libertà di movimento.

## La mano sinistra

La mano sinistra, posizionata come se fosse un "artiglio", afferra il manico della chitarra. Il pollice rappresenta il punto di appoggio sulla parte posteriore del manico. Con le altre dite della mano sinistra si premono le corde sui tasti.

## La mano destra

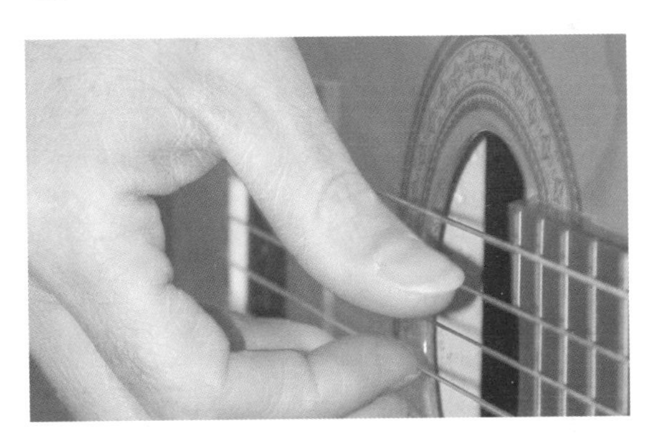

La mano destra serve a far suonare le corde. Il braccio destro deve poggiare rilassato sul corpo della chitarra. Per far suonare le corde si utilizzano il pollice, l'indice, il medio e l'anulare.

## Il pollice della mano destra

Nei brani polifonici, tutte le note segnate sullo spartito con il collo rivolto verso il basso sono suonate dal pollice (esempio 1). Se una nota dovesse avere due colli (esempio 2), essa dovrà essere suonata dal pollice, a meno che non vi sia un'indicazione diversa.

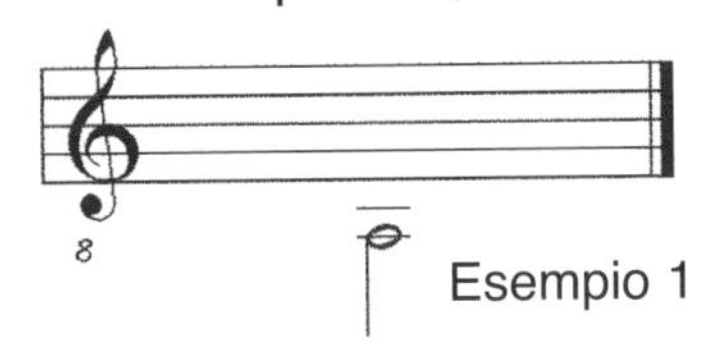


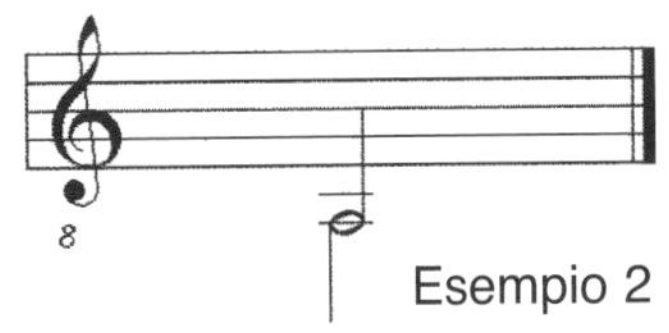


## I numeri delle dita

Per suonare la chitarra con maggiore facilità, accanto alle note sono annotati dei numeri che corrispondono alle dita da utilizzare, principalmente della mano sinistra.
La mano sinistra: 0 = corda libera, 1 = indice, 2 = medio, 3 = anulare, 4 = mignolo

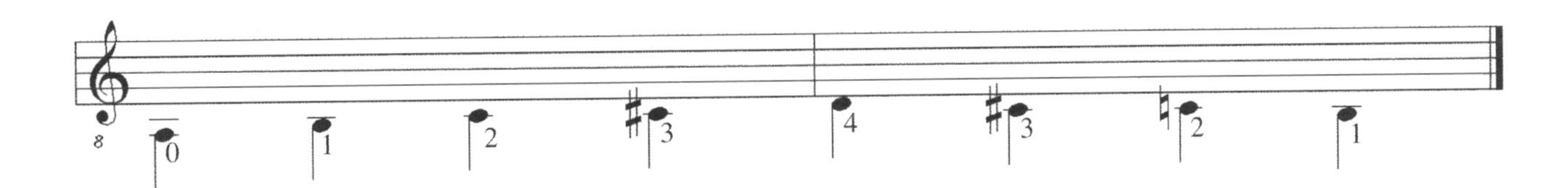

# Le nostre note

Le note sono state inventate per poter rappresentare graficamente i suoni.
La seguente sezione illustra i termini musicali fondamentali.

## La scala musicale

In musica ci sono sette note fondamentali che
si ripetono continuamente: do, re, mi, fa, sol, la, si.

Per suonare diversi tipi di note abbiamo bisogno di un cancelletto (#) che aumenta la nota indicata di un semitono, e del simbolo "b", che abbassa la nota di un semitono.

## Scala cromatica con la figura di alterazione in aumento "#":

## Scala cromatica con la figura di alterazione in diminuzione "b"

## I valori di note e pause:

Un punto posto dopo una nota o una pausa ne aumenta la durata della sua metà!

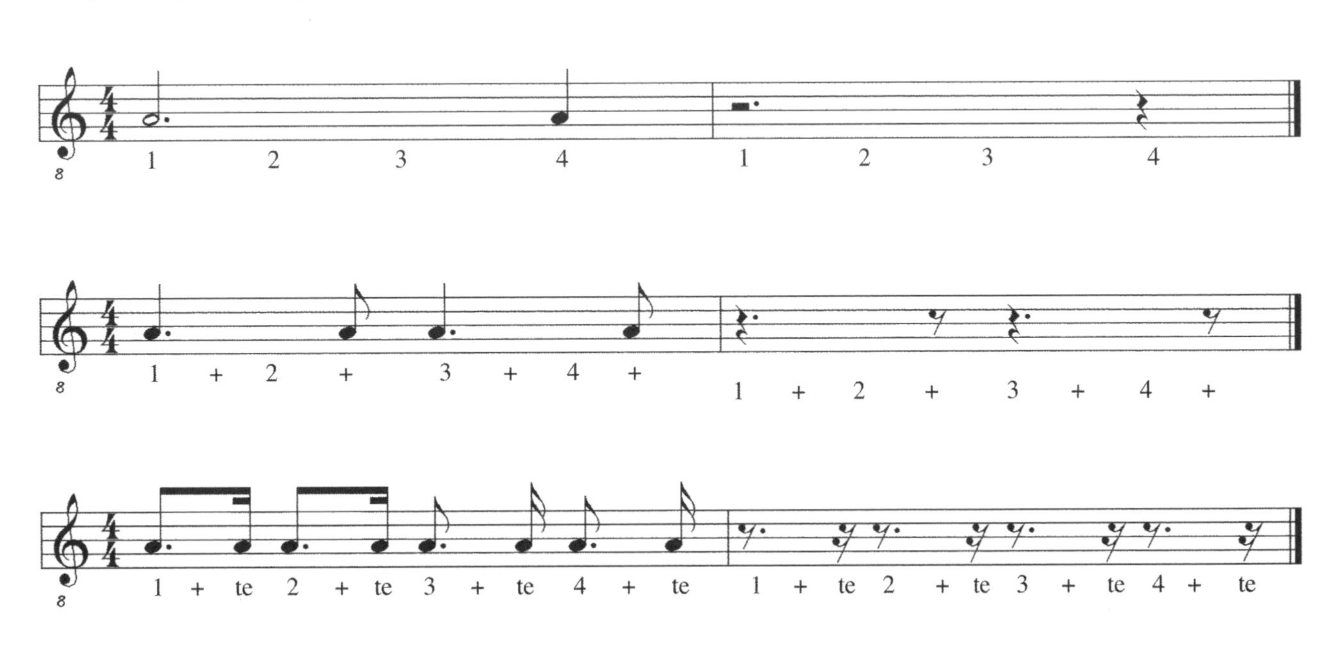

## Le misure più frequenti

La misura 4/4:

La misura 3/4:

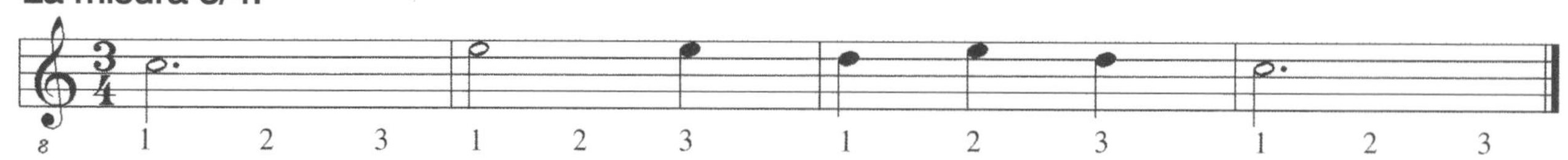


La misura 2/4:

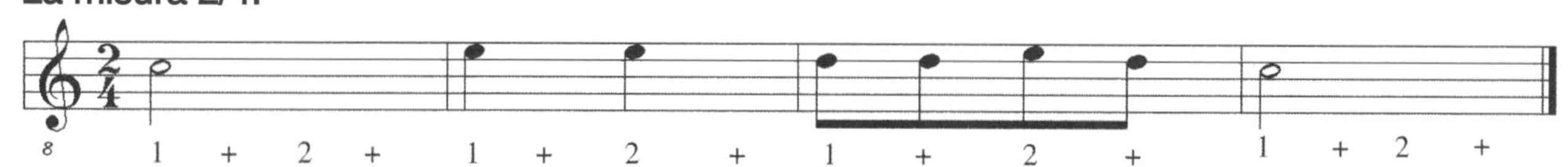


La misura 6/8:

## Importanti simboli musicali

........................... fine del brano

........................... ripetere tutte le sezioni comprese tra questi simboli

........................... prolunga la durata di una nota.

DA CAPO *D.C.* ......................... ripetere la sezione dall'inizio

al ............................................ fino a

Fine ........................................ alla fine

DAL SEGNO *D.S.* 𝄋 .............. ripetere dal simbolo DAL SEGNO

𝄌 ............................................ in caso di ripetizione – salta dal segno 𝄌 al segno 𝄌 successivo

Arpeggio .............................. le note vanno suonate una dopo l'altra iniziando dalla più grave.

p = piano

pp = pianissimo

f = forte

ff = fortissimo

# HE'S GOT THE WHOLE WORLD IN HIS HANDS

Con il primo brano, uno spiritual molto noto, imparerai a suonare e ad accompagnare la melodia con gli accordi. Gli accordi che ti serviranno sono riportati in un'illustrazione. Sul CD troverai una versione con una chitarra di accompagnamento e una versione "karaoke" per suonare senza chitarra di accompagnamento.
Buon divertimento!

1.
He's got the whole world in his hands . . .

2.
He's got a tiny little baby in his hands . . .

3.
He's got the you and me brother in his hands . . .

4.
He's got the son and his father in his hands . . .

5.
He's got the mother and her daughter in his hands . . .

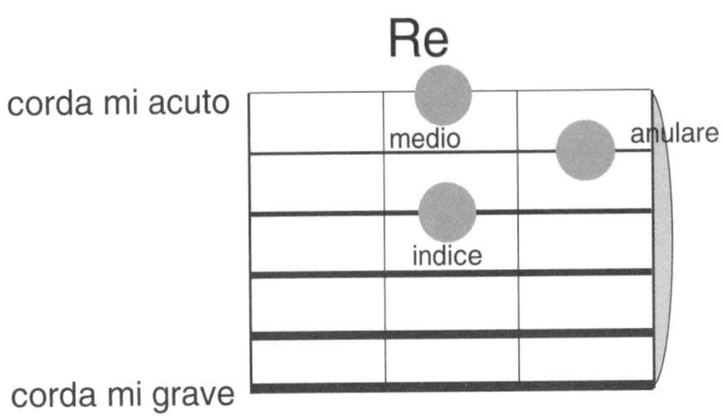


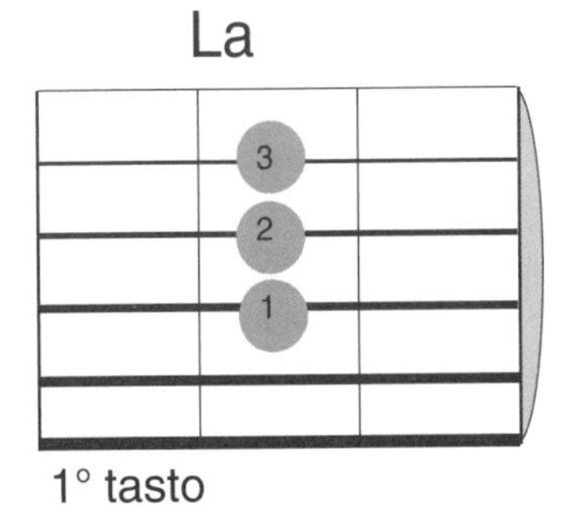

per ascoltare: nr. 3
per suonare: nr. 4

# PER ELISA LUDWIG VAN BEETHOVEN

In realtà di tratta di un brano per pianoforte di Ludwig van Beethoven, ma è di grande effetto anche se suonato con la chitarra classica assieme al CD di karaoke.

# DER MOND IST AUFGEGANGEN Versione karaoke

Con questo meraviglioso brano della musica popolare potrai suonare la parte melodica assieme al CD di karaoke. C'è anche una versione semplice per chitarra classica solista!

# DER MOND IST AUFGEGANGEN Versione per chitarra classica

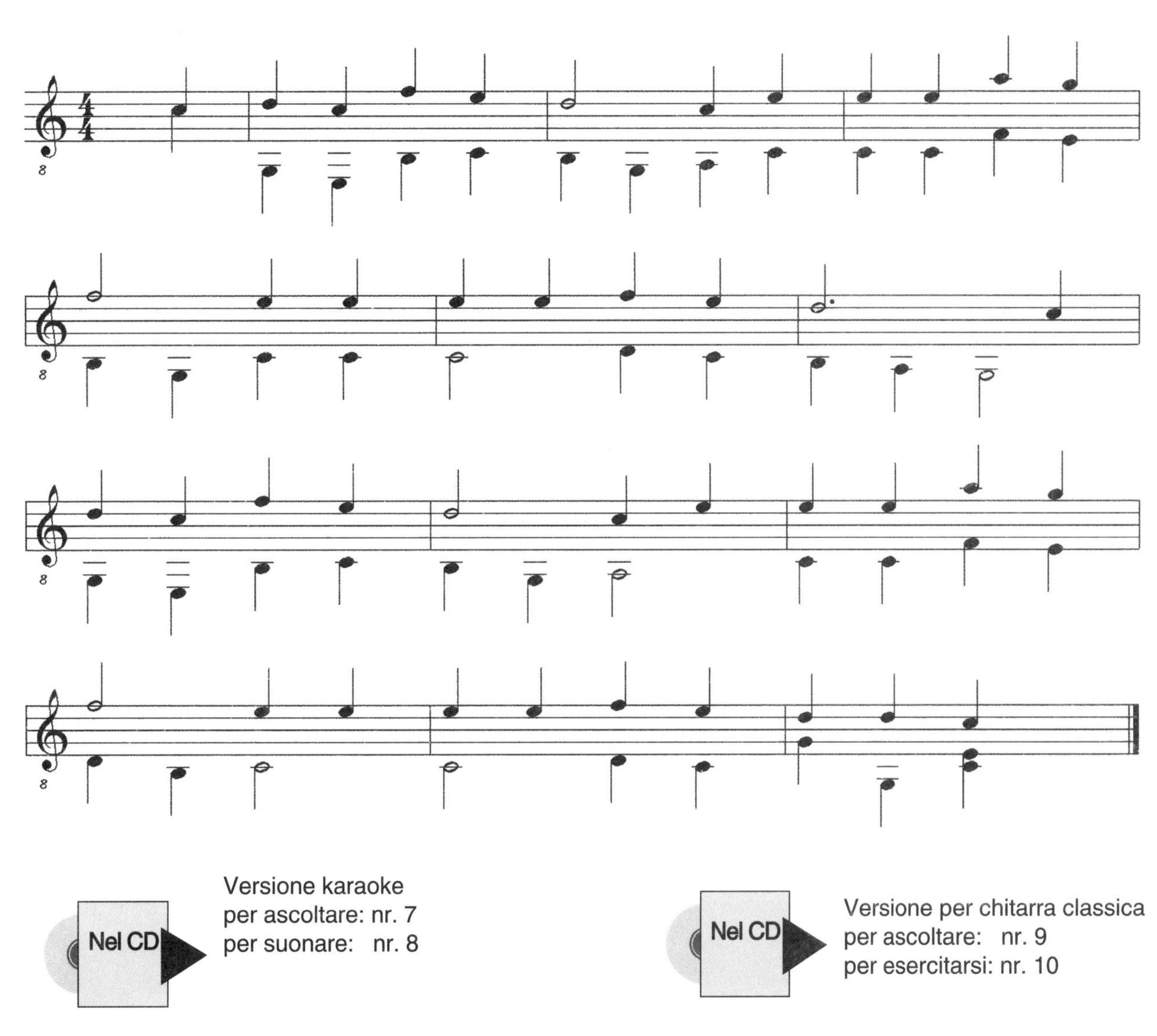


Versione karaoke
per ascoltare: nr. 7
per suonare: nr. 8

Versione per chitarra classica
per ascoltare: nr. 9
per esercitarsi: nr. 10

# ALLEGRETTO FERDINANDO CARULLI

Ferdinando Carulli nacque a Napoli il 10 febbraio 1770. Compose un totale di circa 400 opere, la maggior parte delle quali per chitarra e flauto.

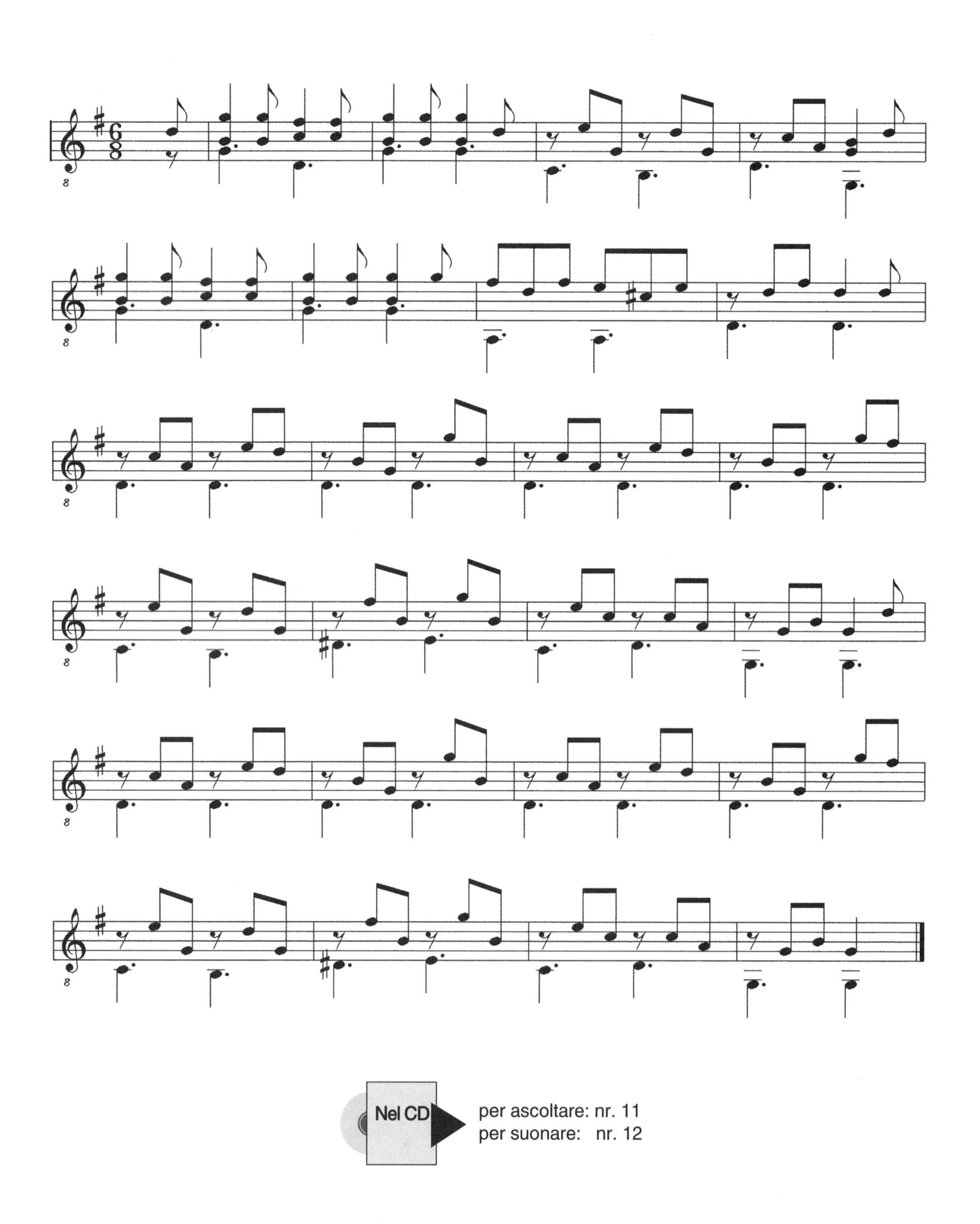


per ascoltare: nr. 11
per suonare: nr. 12

## ANDANTINO FERDINANDO CARULLI

# AMAZING GRACE

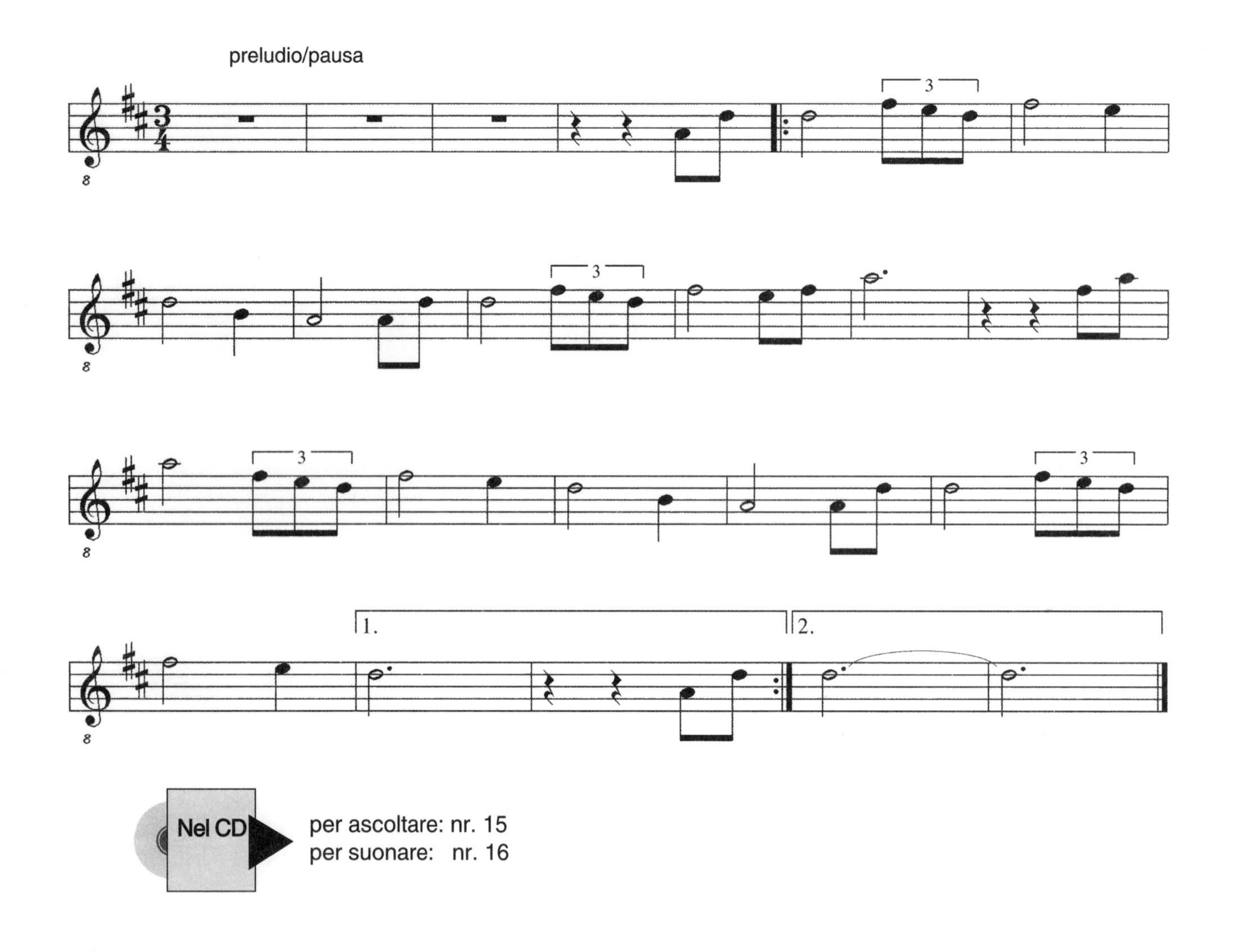


# SPIELEREI

Nel CD
per ascoltare: nr. 17
per suonare: nr. 18

## KUM BA YAH, MY LORD Versione karaoke

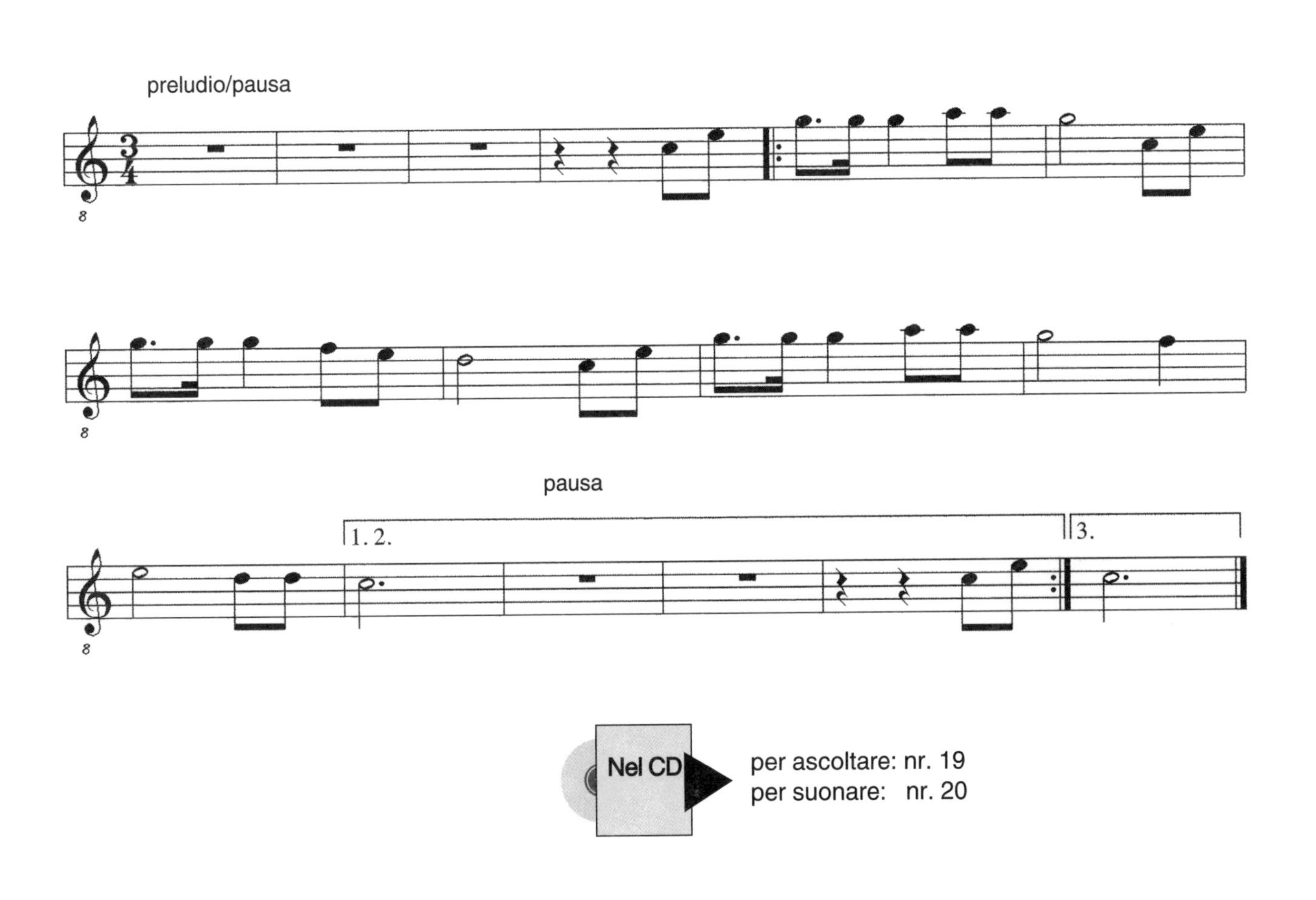


Nel CD
per ascoltare: nr. 19
per suonare: nr. 20

# ANDANTINO FERNANDO SOR

Fernando Sor nacque il 13 febbraio 1778 a Barcelona. Chitarrista e compositore, scrisse moltissimi pezzi per chitarra classica. L'Andante e l'Andantino di Fernando Sor sono solo due esempi delle sua ampia produzione di pezzi per chitarra.

Nel CD per ascoltare: nr. 21
per suonare: nr. 22

## ANDANTE FERNANDO SOR

# ROMANZA ANONIMA Versione karaoke

Tutti conoscono e amano questo brano, molto vecchio e di cui non si conosce l'autore. La versione per chitarra classica non è molto facile da suonare.

# STÜCKCHEN

Nel CD per ascoltare: nr. 27
per suonare: nr. 28

## ROMANZA ANONIMA Versione per chitarra classica

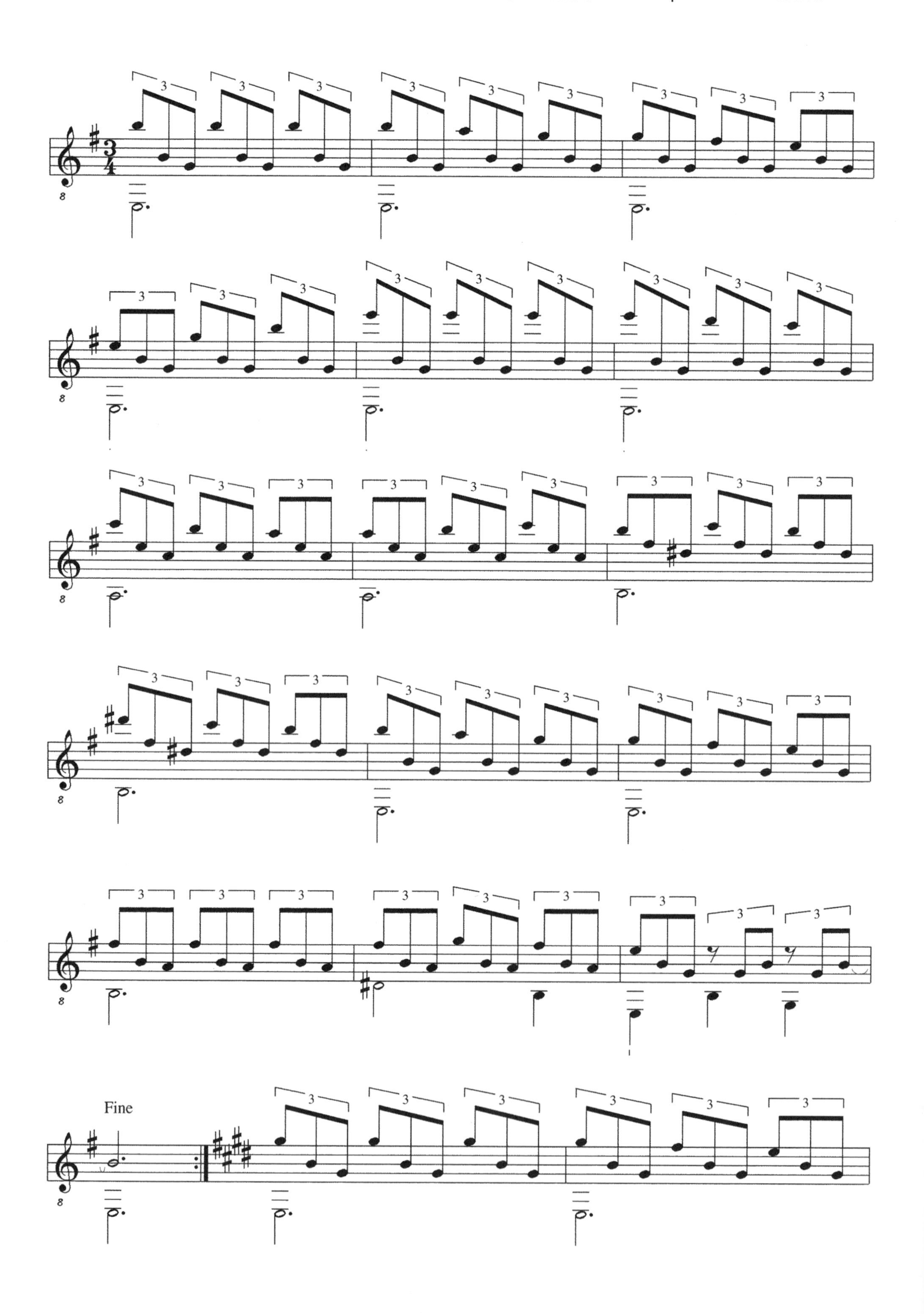

Nel CD per ascoltare: nr. 29
per suonare: nr. 30

# GREENSLEEVES Versione karaoke

Un antico e straordinario brano della musica popolare irlandese. Elaborato per essere suonato con l'accompagnamento del CD, e in versione polifonica con la chitarra classica.

Nel CD
per ascoltare: nr. 31
per suonare: nr. 32

# GREENSLEEVES Versione per chitarra classica

# BOURRÉE J. S. BACH

Il grande pezzo per chitarra di **Johann Sebastian Bach**, sebbene in origine questo pezzo non sia stato composto per questo strumento. La musica per chitarra di Johann Sebastian Bach non è facile da suonare e richiede un grande esercizio.

Nel CD

per ascoltare: nr. 35
per suonare: nr. 36

# CAPRICCIO J. GRAF LOSY VON LOSINTAL

# ECOSSAISE MAURO GIULIANI

In origine, l'Ecossaise era un antico ballo popolare scozzese. Il chitarrista italiano Mauro Giuliani nacque il 27.07.1781 e nel corso della propria vita compose oltre 300 opere per chitarra.

per ascoltare: nr. 39
per suonare: nr. 40

# MY BONNIE IS OVER THE OCEAN

Molti musicisti e gruppi musicali hanno rielaborato e suonato questa vecchia canzone di marinai. Con l'aiuto del CD e con un po' di esercizio il brano riesce bene anche con la chitarra classica.

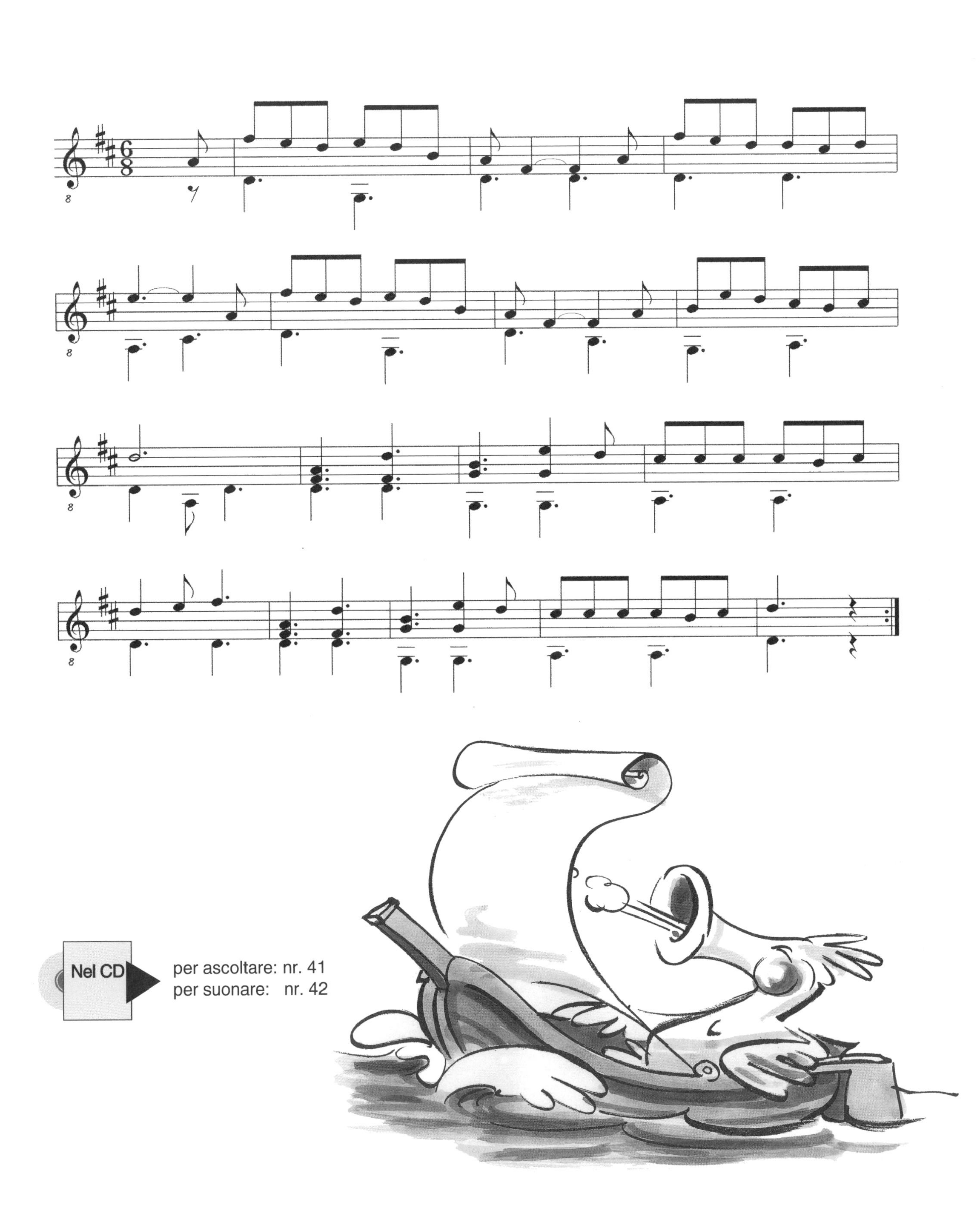

# ALLEMANDE

Nel CD per ascoltare: nr. 43
per suonare: nr. 44

# *Tocando guitarra de concierto te divertirás*

## Índice

Introducción 84
Afinación 84
Cambio de cuerdas de guitarra 85
Forma de coger la guitarra 86
Mano izquierda 86
Mano derecha 86
La digitación 86
Nuestras notas 87
Tipos de compás 89
Signos musicales importantes 89
He's got the Whole World in his Hands 90
Para Elisa 91
Der Mond ist aufgegangen 92
Allegretto 93
Andantino - Ferdinando Carulli 94
Amazing Grace 95
Jugueteo 95
Kum ba yah 96
Andantino - Fernando Sor 97
Andante 98
Romance anónimo Versión karaoke 99
Piecita 100
Romance anónimo Versión guitarra de concierto 101
Greensleeves 103
Bourrée 105
Capriccio 106
Ecossaise 107
My Bonnie is over the Ocean 108
Alemanda 109

## Índice CD

1. Afinación
2. Escala Do mayor
3. He's got the Whole World in his Hands para escuchar
4. He's got the Whole World in his Hands para tocar
5. Para Elisa ........ para escuchar
6. Para Elisa ........ Karaoke, para tocar
7. Der Mond ist aufgegangen ........ para escuchar
8. Der Mond ist aufgegangen ........ Karaoke, para tocar
9. Der Mond ist aufgegangen ........ Guitarra, para escuchar
10. Der Mond ist aufgegangen ........ Guitarra, para practicar
11. Allegretto ........ Guitarra, para escuchar
12. Allegretto ........ Guitarra, para practicar
13. Andantino ........ Guitarra, para escuchar
14. Andantino ........ Guitarra, para practicar
15. Amazing Grace ........ para escuchar
16. Amazing Grace ........ Karaoke, para tocar
17. Jugueteo ........ Guitarra, para escuchar
18. Jugueteo ........ Guitarra, para practicar
19. Kum ba yah ........ para escuchar
20. Kum ba yah ........ Karaoke, para tocar
21. Andantino ........ Guitarra, para escuchar
22. Andantino ........ Guitarra, para practicar
23. Andante ........ Guitarra, para escuchar
24. Andante ........ Guitarra, para practicar
25. Romance anónimo ........ para escuchar
26. Romance anónimo ........ Karaoke, para tocar
27. Piecita ........ Guitarra, para escuchar
28. Piecita ........ Guitarra, para practicar
29. Romance anónimo ........ Guitarra, para escuchar
30. Romance anónimo ........ Guitarra, para practicar
31. Greensleeves ........ para escuchar
32. Greensleeves ........ Karaoke, para tocar
33. Greensleeves ........ Guitarra, para escuchar
34. Greensleeves ........ Guitarra, para practicar
35. Bourrée ........ Guitarra, para escuchar
36. Bourrée ........ Guitarra, para practicar
37. Capriccio ........ Guitarra, para escuchar
38. Capriccio ........ Guitarra, para practicar
39. Ecossaise ........ Guitarra, para escuchar
40. Ecossaise ........ Guitarra, para practicar
41. My Bonnie is over the Ocean .. Guitarra, para escuchar
42. My Bonnie is over the Ocean .. Guitarra, para practicar
43. Alemanda ........ Guitarra, para escuchar
44. Alemanda ........ Guitarra, para practicar

# Introducción

Este libro junto con el CD te ayudará a conocer el mundo de la guitarra de concierto. No se trata de una escuela de guitarra clásica ni tampoco se propone sustituir a la clase de guitarra .
El CD muestra con muchos ejemplos musicales la variedad de la guitarra de concierto, desde el simple acompañamiento de canciones hasta el "éxito" de guitarra de concierto, no tan sencillo de tocar, la Bourrée de Johann Sebastian Bach. Para muchas canciones existe en el CD una versión Karaoke, que te permite tocar como en una banda. Todas las melodías clásicas las encontrarás también en una versión para "practicar", tocada lentamente.

**Ya verás – ¡Tocando la guitarra de concierto te divertirás!**

## Afinación

Para poder tocar las canciones en el CD, se deberá afinar la guitarra. En el CD se tocan todas las seis cuerdas empezando por la cuerda Mi grave.
A continuación la denominación de las cuerdas:

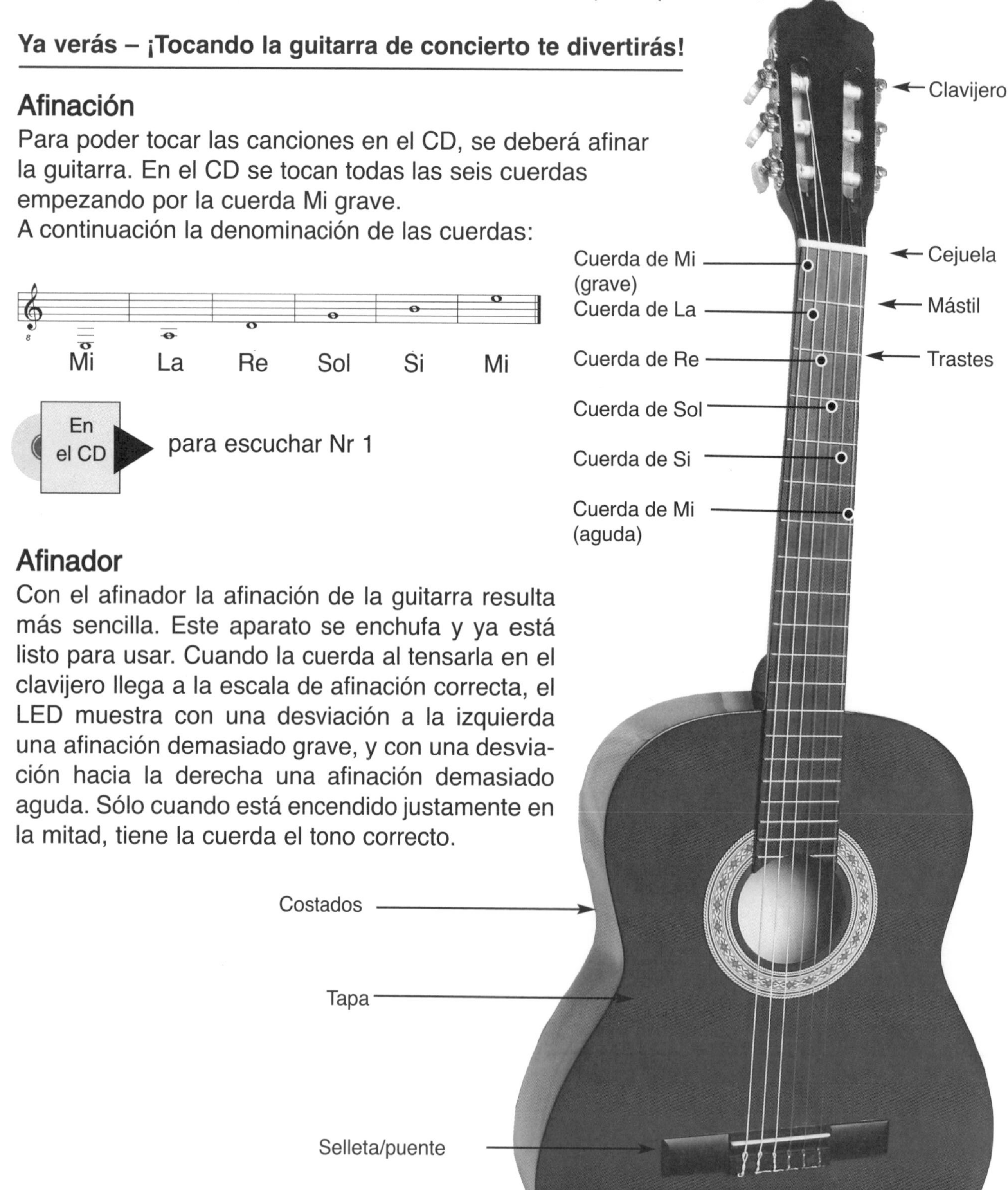


## Afinador

Con el afinador la afinación de la guitarra resulta más sencilla. Este aparato se enchufa y ya está listo para usar. Cuando la cuerda al tensarla en el clavijero llega a la escala de afinación correcta, el LED muestra con una desviación a la izquierda una afinación demasiado grave, y con una desviación hacia la derecha una afinación demasiado aguda. Sólo cuando está encendido justamente en la mitad, tiene la cuerda el tono correcto.

## Cambio de las cuerdas de la guitarra

El cambio de las cuerdas es trabajoso, pero es necesario hacerlo de vez en cuando. Las cuerdas pueden romperse por distintos motivos – por ejemplo, si están afinadas demasiado agudas. Además su durabilidad es limitada. Bajo la influencia del polvo, los depósitos de suciedad y sudor las cuerdas pierden con el tiempo brillantez sonora y pureza de tono – entonces, como muy tarde, deberías conseguirle a tu guitarra un nuevo juego de cuerdas.

## Montaje de las cuerdas de guitarra

La guitarra de concierto está tensada con cuerdas de nailon, es decir, las tres cuerdas agudas son completamente de nailon, mientras las tres cuerdas graves son por dentro de nailon y están recubiertas de acero.

1. Retira la cuerda que debe sustituirse. Retira el resto de cuerdas rotas en esa parte del clavijero y en el puente.

2. Para fijar la cuerda a la selleta hay distintas posibilidades. La más corriente es la siguiente:

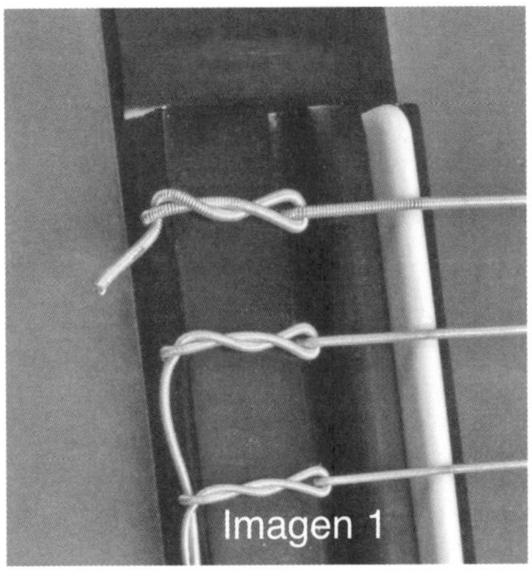

Imagen 1

3. Lleva la cuerda a través de la muesca prevista en la cejuela (imagen 2) a la parte del clavijero correspondiente. Las cuerdas son con frecuencia mucho más largas de lo necesario.

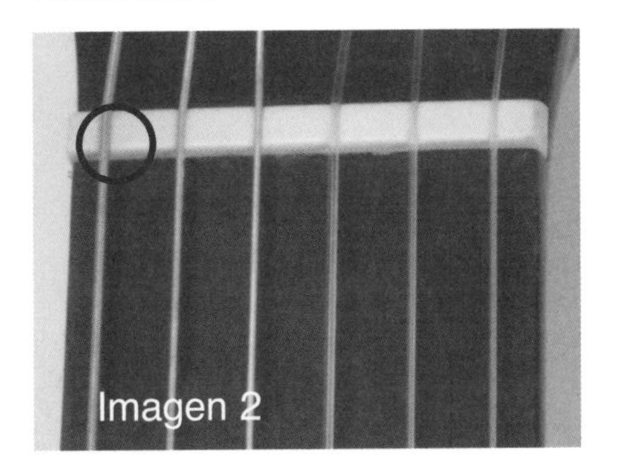
Imagen 2

4. Ahora gira la clavija del clavijero. La cuerda debe enrollarse de tres a cuatro veces alrededor del eje. Esto debe realizarse de modo uniforme. Para saber la dirección de tensado ver imagen 3. Si existe una guía de cuerda, colocar la cuerda como corresponda.

5. Afina la cuerda. Para estabilizar la tensión de cuerda, debes estirar la cuerda, tirando de ella con los dedos sobre el diapasón y estirándola con cuidado.

6. Vuelve a afinar la guitarra.

7. Coge un cortacuerdas y corta el resto de cuerda en el clavijero.

8. Hasta que la afinación sea correcta, debe volverse a afinar por norma general algunas veces más. En el caso de cuerdas de nailon esto es más frecuente que en las cuerdas de acero.

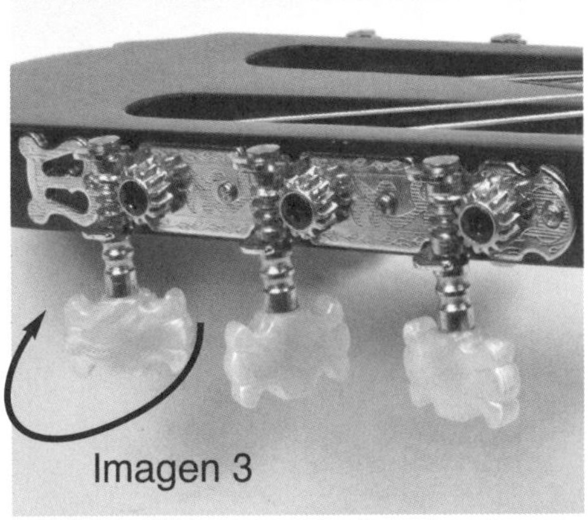

Imagen 3

## Conservación:

La guitarra de concierto es un instrumento de madera hecho a mano y debe tratarse con mucho cuidado. En su funda la guitarra se protege óptimamente del polvo y de la humedad del aire. No limpiar en ningún caso la superficie de la guitarra con productos de limpieza agresivos.

## Forma de coger la guitarra

Como se ve en la imagen, la guitarra se apoya en la pierna izquierda. Ésta debería elevarse ligeramente con un taburete. Es una posición óptima para conseguir un buen equilibrio y rendimiento tocando.

## Mano izquierda

La mano izquierda se coloca en forma de "garra" en el mástil de la guitarra. El pulgar sirve de sujeción en la parte posterior del mástil. Con los restantes dedos de la mano izquierda se presionan las cuerdas en los trastes.

## Mano derecha

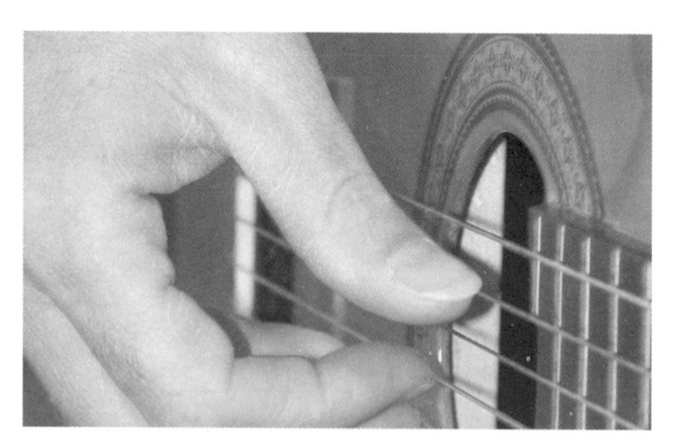

Con ella se tocan las cuerdas. El brazo debe apoyarse suelto en la caja de la guitarra. Para tocar las cuerdas se precisa del pulgar, el índice, el dedo corazón y el dedo anular.

## El pulgar de la mano derecha

En piezas polifónicas se tocan con el pulgar todos los tonos en los que la plica de la nota apunta hacia abajo (ejemplo 1). Si una nota tiene dos plicas (ejemplo 2) esta nota se toca, siempre que no se diga otra cosa, con el pulgar.

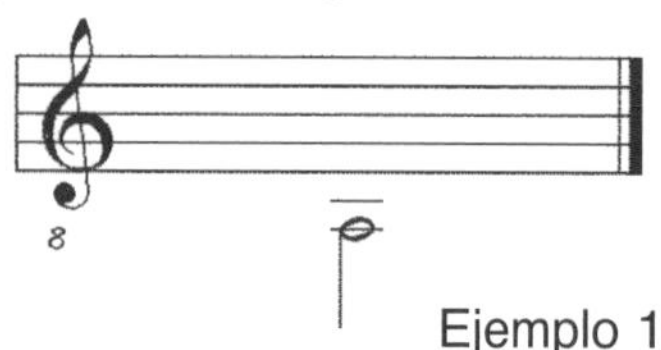

Ejemplo 1

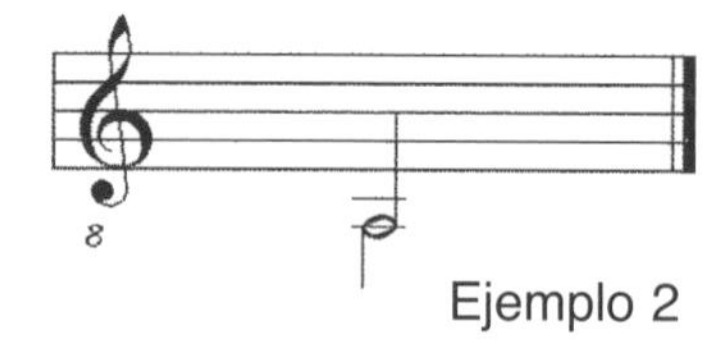

Ejemplo 2

## Digitación

Para tocar la guitarra con más facilidad, se indica una digitación en las notas principalmente para la mano izquierda. Para ello se utilizan las siguientes denominaciones:
Mano izquierda: 0 = cuerda vacía, 1 = índice, 2 = dedo corazón, 3 = dedo anular, 4 = dedo meñique.

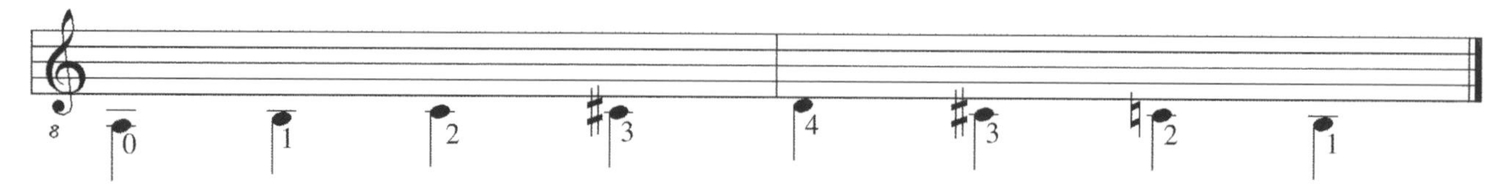

# Nuestras notas

Para representar gráficamente los tonos se han inventado las notas.
La siguiente sección te enseña los conceptos musicales fundamentales.

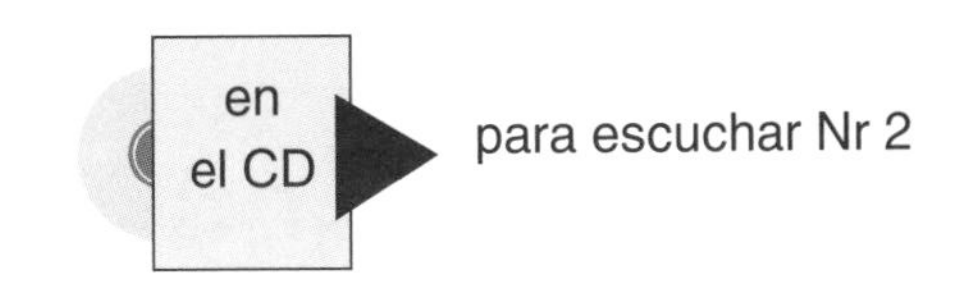


## La escala

En la música hay siete tonos básicos
que se repiten continuamente. Son: do, re, mi, fa, sol, la, si.

Para tocar cada uno de los distintos tipos de tono se usa un sostenido (♯), el cual eleva el tono anotado un semitono, y el signo "b", que baja los tonos un semitono.

## Escala cromática con signo de elevación de tono „♯"

## Escala con signo de bajada de tono „b"

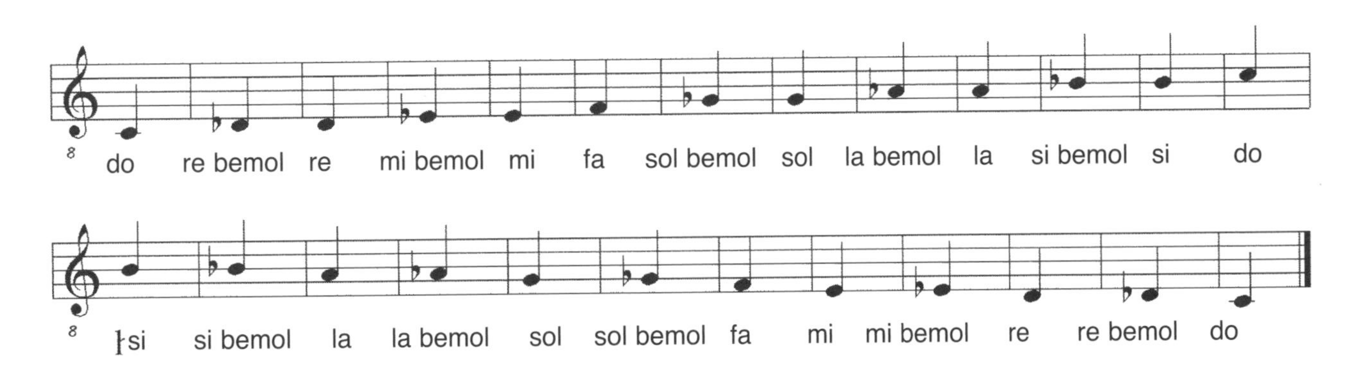

## Los valores de las notas y las pausas

¡Un punto detrás de una nota o pausa prolonga en ésta la mitad de su valor!

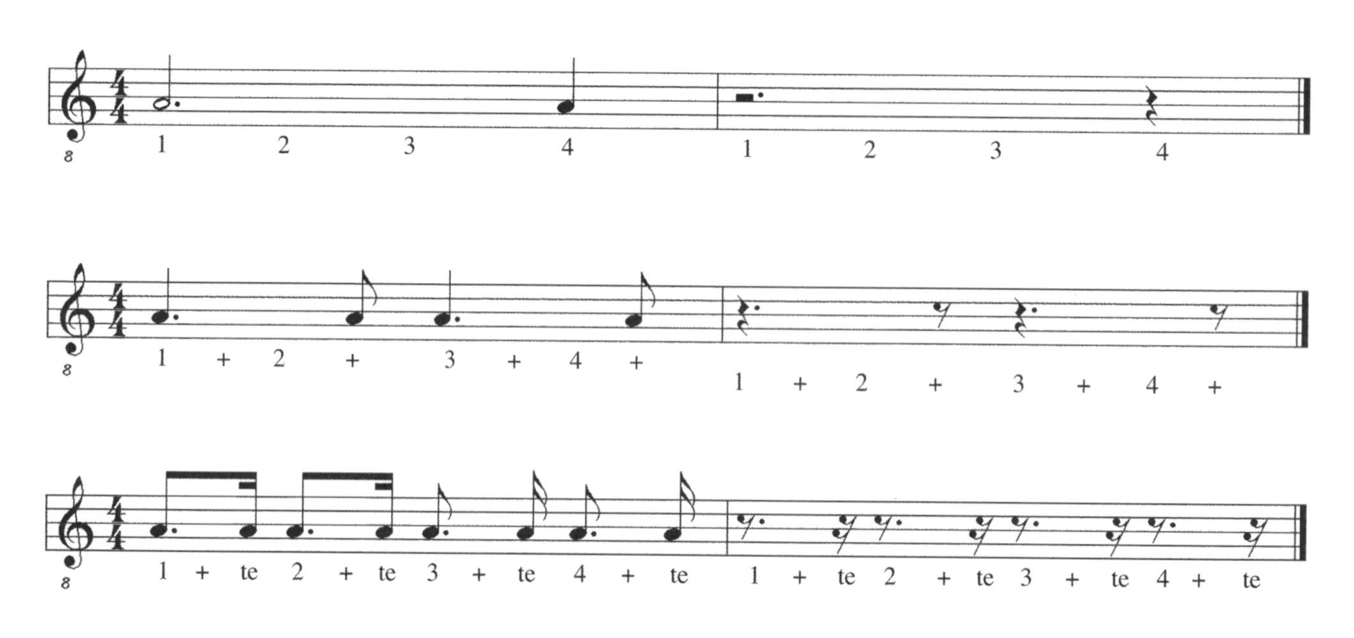

# Tipos de compás

**Compás 4/4**

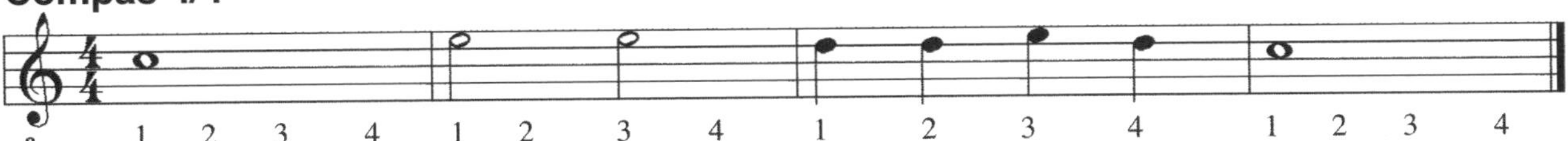


**Compás 3/4**

**Compás 2/4**

**Compás 6/8**

# Signos musicales importantes

| | |
|---|---|
| .......................... | Final |
| .......................... | Repetición – se repiten todos los compases entre los signos |
| .......................... | Calderón – la nota se prolonga. |
| DA CAPO *D.C.* .......................... | Repetición desde el principio de la pieza |
| al .......................................... | hasta |
| Fine ...................................... | el final |
| DAL SEGNO *D.S.* 𝄋 ............... | repetición desde el signo DAL SEGNO |
| 𝄌 .......................................... | En la repetición – salta desde cabeza 𝄌 hasta cabeza inferior 𝄌 |
| p = piano .............................. | suave |
| pp = pianissimo .................... | muy suave |
| f = forte ................................ | fuerte |
| ff = fortissimo ....................... | muy fuerte |
| Arpeggio .............................. | se tocan los tonos consecutivamente empezando por el más grave. |

# HE'S GOT THE WHOLE WORLD IN HIS HANDS

Con la primera canción, un conocido espiritual, aprenderás a tocar y acompañar con acordes. Los acordes necesarios para ello están representados en una tablatura. En el CD encontrarás una versión con acompañamiento para guitarra y una "versión Karaoke" para tocar sin acompañamiento para guitarra.
¡Que te diviertas!

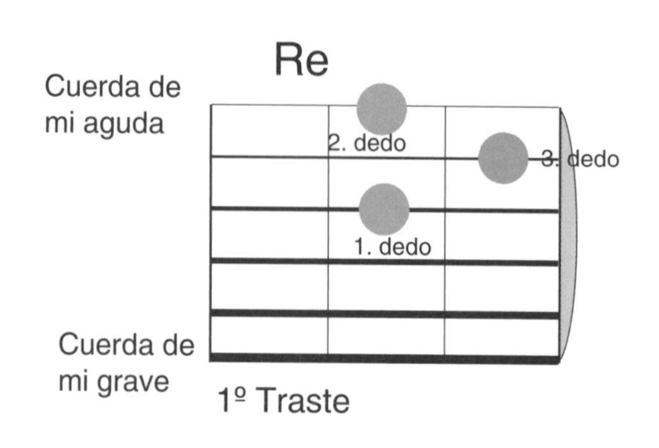


1.
He's got the whole world in his hands . . .

2.
He's got a tiny little baby in his hands . . .

3.
He's got the you and me brother in his hands . . .

4.
He's got the son and his father in his hands . . .

5.
He's got the mother and her daughter in his hands . . .

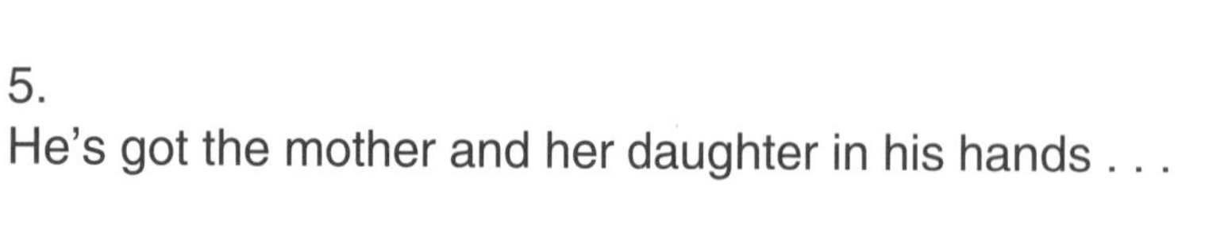

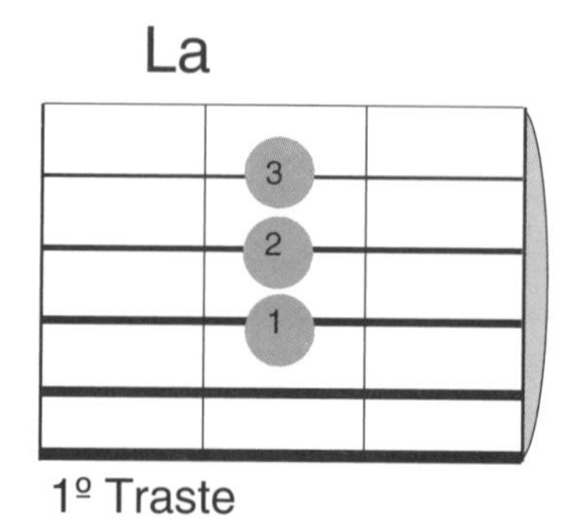


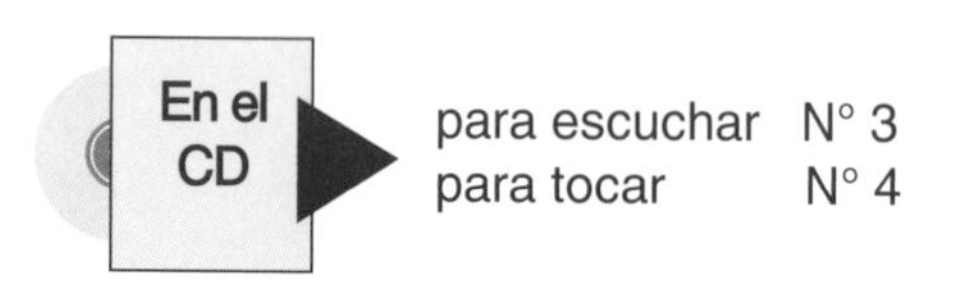


para escuchar N° 3
para tocar N° 4

## PARA ELISA LUDWIG VAN BEETHOVEN

En realidad una melodía para piano de Ludwig van Beethoven. Suena muy interesante en guitarra de concierto – tocada en el CD Karaoke.

## DER MOND IST AUFGEGANGEN Versión Karaoke

Con esta maravillosa canción popular puedes tocar el canto en el CD Karaoke.
¡Hay también una versión sencilla para solo de guitarra de concierto!

## DER MOND IST AUFGEGANGEN Versión guitarra de concierto

En el CD
Versión Karaoke
para escuchar Nº 7
para tocar Nº 8

En el CD
Versión guitarra de concierto
para escuchar Nº 9
para practicar Nº 10

# ALLEGRETTO FERDINANDO CARULLI

Ferdinando Carulli nació el 10 de febrero de 1770 en Nápoles. Creó en total aproximadamente 400 obras, la mayoría de ellas para guitarra y flauta.

En el CD ▶ para escuchar Nº 11
para practicar Nº 12

# ANDANTINO FERDINANDO CARULLI

# AMAZING GRACE

# JUGUETEO

## KUM BA YAH, MY LORD Versión Karaoke

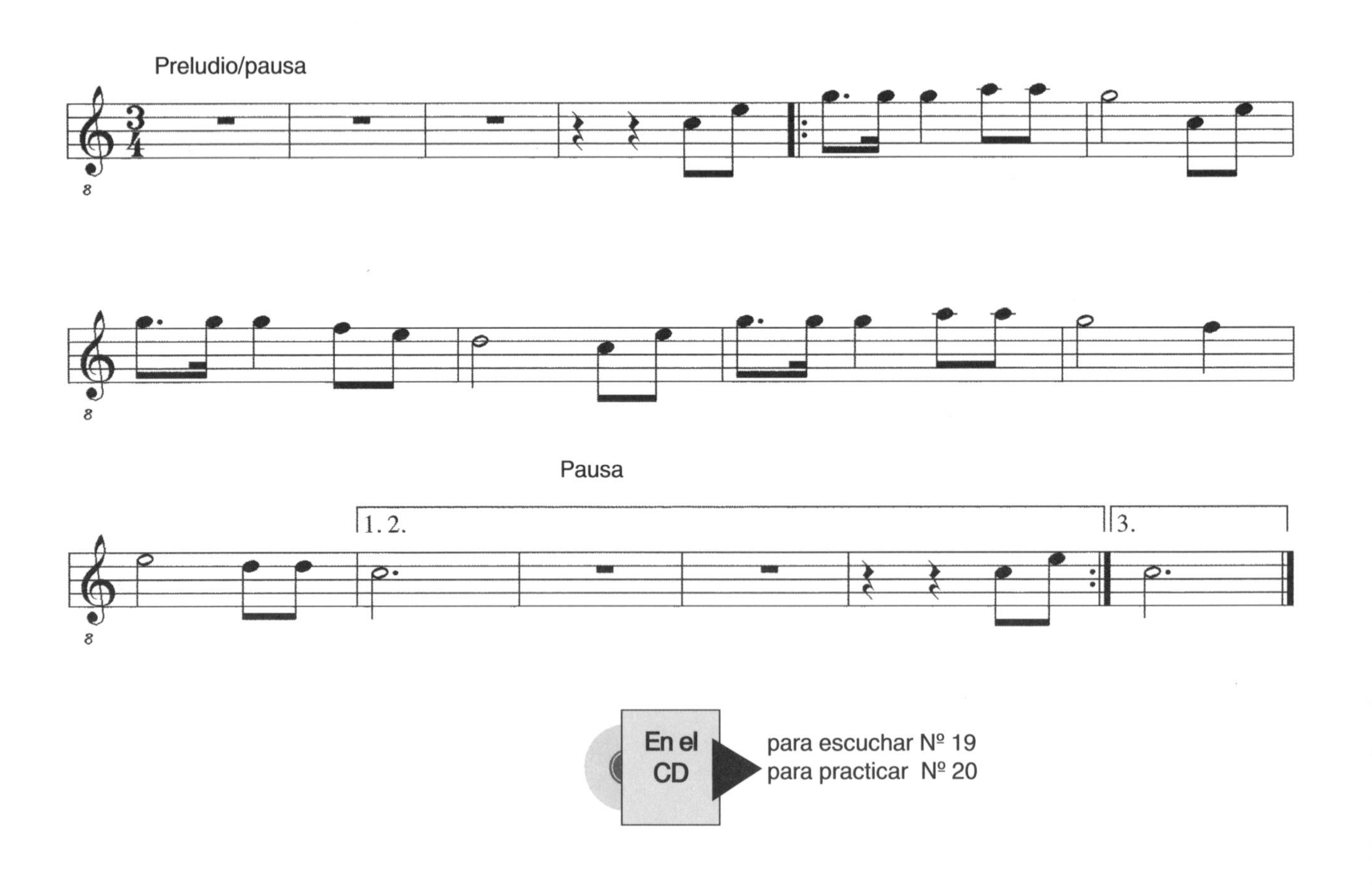

# ANDANTINO FERNANDO SOR

Fernando Sor nació el 13 de febrero de 1778 en Barcelona. Como guitarrista y compositor escribió una multitud de piezas para guitarra de concierto. El Andante y Andantino de Fernando Sor es sólo una pequeña selección de sus múltiples composiciones para guitarra.

En el CD

para escuchar Nº 21
para practicar Nº 22

# ANDANTE FERNANDO SOR

# ROMANCE ANÓNIMO Versión Karaoke

Todos conocen y adoran este título musical. Esta pieza es ya muy antigua y el compositor desconocido. Esta versión para guitarra de concierto no es muy fácil de tocar.

# PIECITA

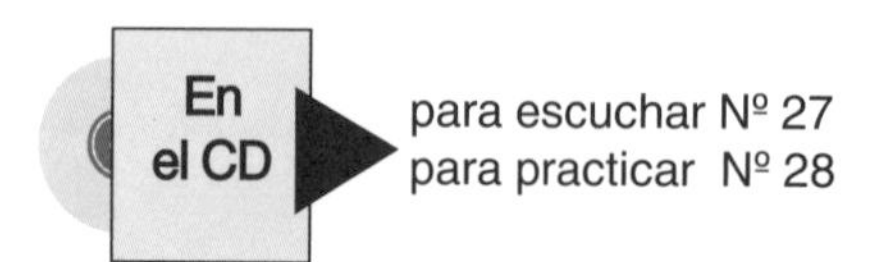

## ROMANCE ANÓNIMO Versión guitarra de concierto

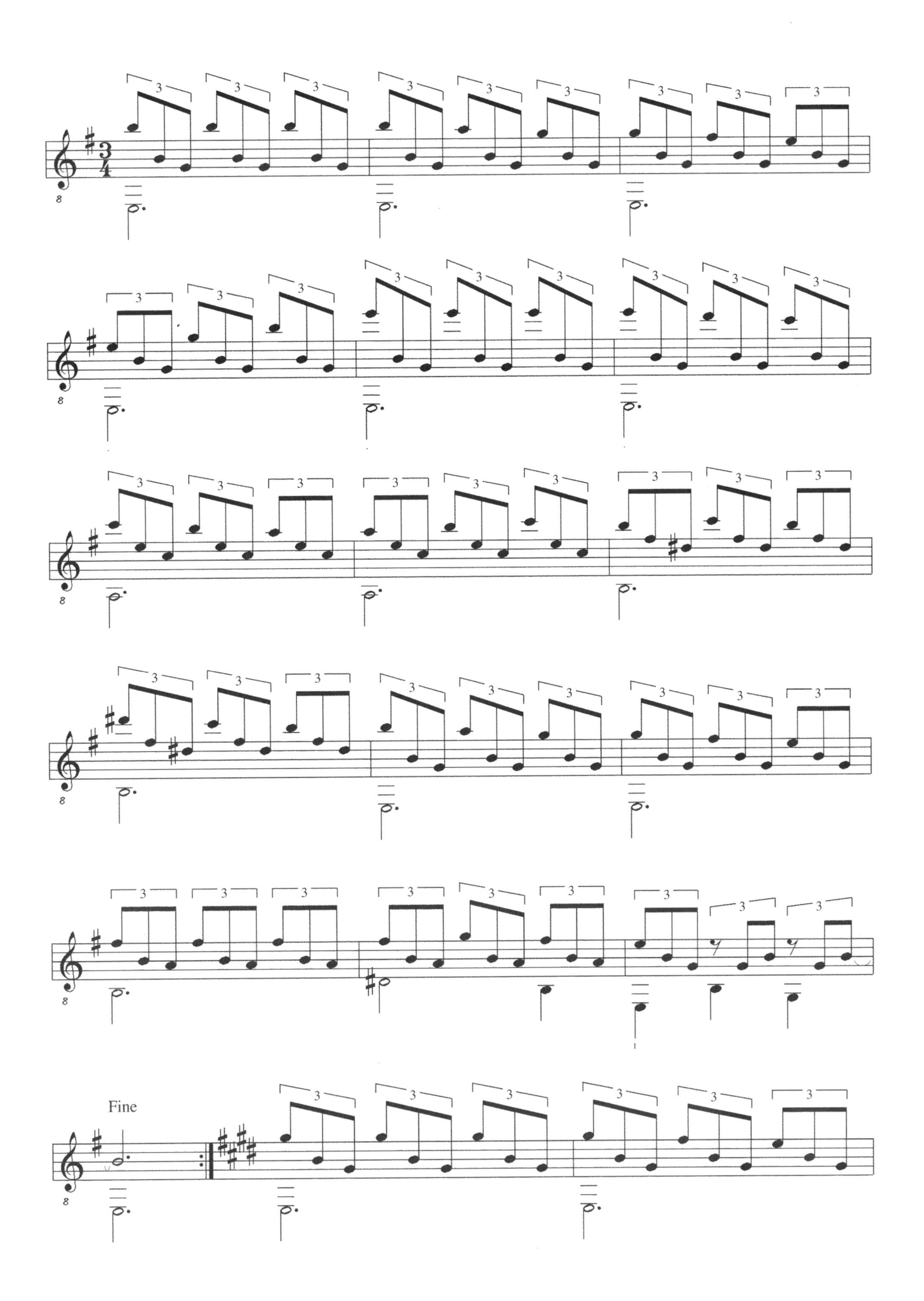

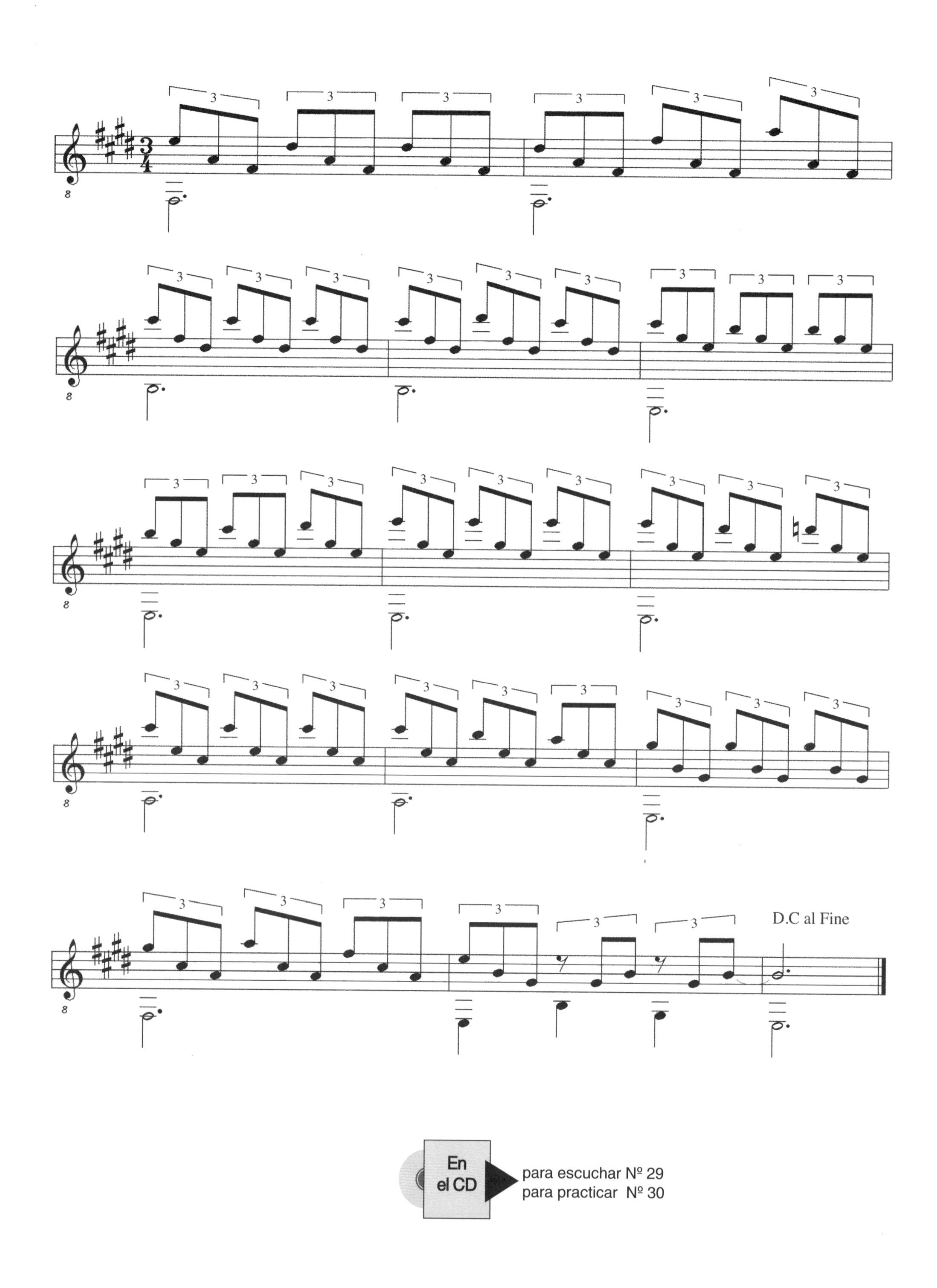
D.C al Fine
En el CD
para escuchar Nº 29
para practicar Nº 30

# GREENSLEEVES Versión karaoke

Una maravillosa canción popular irlandesa antigua. Adaptada para tocar al unísono en el CD o para tocar polifónicamente en la guitarra de concierto.

En el CD para escuchar Nº 31 para practicar Nº 32

# GREENSLEEVES Versión guitarra de concierto

# BOURRÉE J. S. BACH

El éxito para guitarra de **Johann Sebastian Bach** – aunque esta pieza no fue compuesta originalmente para guitarra. La música para guitarra de Johann Sebastian Bach no es fácil de tocar, y exige una práctica intensiva.

En el CD
para escuchar Nº 35
para practicar Nº 36

# CAPRICCIO J. GRAF LOSY VON LOSINTAL

# ECOSSAISE MAURO GIULIANI

La Ecossaise es en su origen un baile popular escocés antiguo. El guitarrista italiano Mauro Giuliani nació el 27.07.1781 y escribió en el transcurso de su vida más de 300 obras.

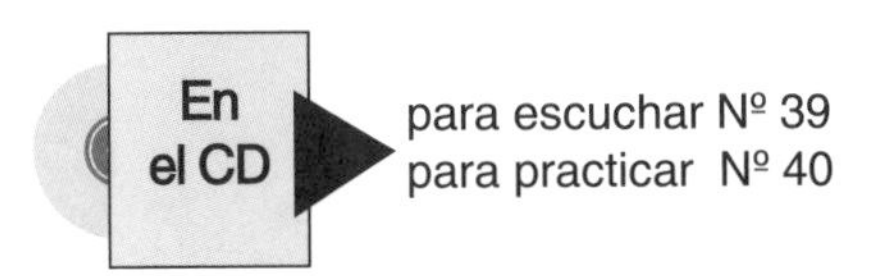

# MY BONNIE IS OVER THE OCEAN

Muchos músicos y grupos musicales conocidos han versionado y tocado esta antigua canción de marinero. Con la ayuda del CD y un poco de práctica la podrás tocar también en la guitarra de concierto.

En el CD para escuchar Nº 41
para practicar Nº 42

# ALEMANDA

# *Having fun playing concert guitar*

## Table of Contents


Introduction 111
Tuning 111
Replacing the guitar strings 112
Holding the guitar 113
The left hand 113
The right hand 113
Fingering 113
Our notes 114
Types of meter 116
Important musical symbols 116
He's got the Whole World in his Hands 117
For Elise 118
Der Mond ist aufgegangen 119
Allegretto 120
Andantino - Ferdinando Carulli 121
Amazing Grace 122
Spielerei 122
Kumbaya 123
Andantino - Fernando Sor 124
Andante 125
Anonymous Romance karaoke version 126
Little Piece 127
Anonymous Romance concert guitar version 128
Greensleeves 130
Bourrée 132
Capriccio 133
Ecossaise 134
My Bonnie is over the Ocean 135
Allemande 136


## Table of Contents


1. Tuning
2. The C major scale
3. He's got The Whole World In His Hands, for listening
4. He's got The Whole World In His Hands, for playing
5. For Elise ........ for listening
6. For Elise ........ Karaoke, for playing
7. Der Mond ist aufgegangen ........ for listening
8. Der Mond ist aufgegangen ........ Karaoke, for playing
9. Der Mond ist aufgegangen ........ Guitar, for listening
10. Der Mond ist aufgegangen ........ Guitar, for practising
11. Allegretto ........ Guitar, for listening
12. Allegretto ........ Guitar, for practising
13. Andantino ........ Guitar, for listening
14. Andantino ........ Guitar, for practising
15. Amazing Grace ........ for listening
16. Amazing Grace ........ Karaoke, for playing
17. Spielerei ........ Guitar, for listening
18. Spielerei ........ Guitar, for practising
19. Kum ba yah ........ for listening
20. Kum ba yah ........ Karaoke, for playing
21. Andantino ........ Guitar, for listening
22. Andantino ........ Guitar, for practising
23. Andante ........ Guitar, for listening
24. Andante ........ Guitar, for practising
25. Romance anonymous ........ for listening
26. Romance anonymous ........ Karaoke, for playing
27. Little Piece ........ Guitar, for listening
28. Little Piece ........ Guitar, for practising
29. Romance anonymous ........ Guitar, for listening
30. Romance anonymous ........ Guitar, for practising
31. Greensleeves ........ for listening
32. Greensleeves ........ Karaoke, for playing
33. Greensleeves ........ Guitar, for listening
34. Greensleeves ........ Guitar, for practising
35. Bourrée ........ Guitar, for listening
36. Bourrée ........ Guitar, for practising
37. Capriccio ........ Guitar, for listening
38. Capriccio ........ Guitar, for practising
39. Ecossaise ........ Guitar, for listening
40. Ecossaise ........ Guitar, for practising
41. My Bonnie is over the ocean ........ Guitar, for listening
42. My Bonnie is over the ocean ........ Guitar, for practising
43. Allemande ........ Guitar, for listening
44. Allemande ........ Guitar, for practising

# Introduction

This book together with the CD is supposed to help you experience the world of the concert guitar. It is neither a classical school of guitar nor is it intended to replace your guitar lessons. By help of many well-known sound examples the CD shows all the variety of the concert guitar.
We begin with a simple song accompaniment, then move on to the „hit“ of concert guitar, the Bourrée by Johann Sebastian Bach, which is a little more difficult to play. There is a karaoke version for many songs on the CD, which enables you to play like together with a band. You also find all classical melodies in a „rehearsal“ version played slowly.

You will see – playing concert guitar is a lot of fun!

## Tuning:

The guitar must be tuned so that you can play along with the songs on the CD. On the CD, all six strings are played, beginning with the low E-string.
The following is the designation of the strings:

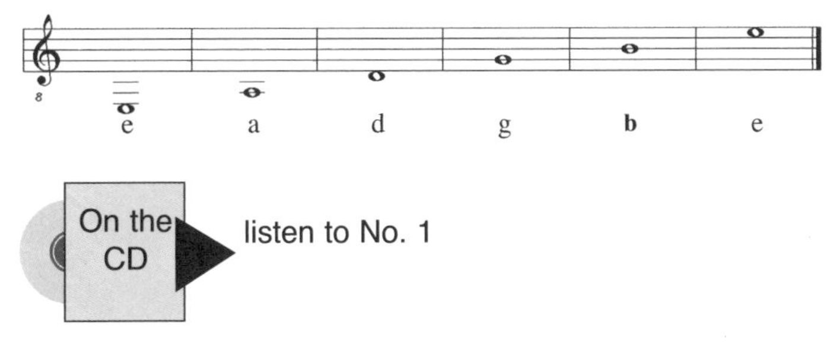


## The tuner:

Tuning the guitar is somewhat simpler with a tuner. The tuner is switched on and is immediately ready for operation. When the string approaches the correct tuning range due to tightening of the machine heads, the LED shows that the note is too low by deflecting to the left or too high be deflecting to the right. The string only has the correct note when the LED lights up precisely in the center.

## Replacing the guitar strings

Replacing strings is tedious, but occasionally necessary. They can break for various reasons – such as if they are tuned too high. In addition, their useful life is limited. Under the influence of dust, dirt, and sweat deposits, they lose their brilliant sound and note clarity over time – you should put a new set of strings on your guitar at this point.

## Tightening the guitar strings

The concert guitar is strung with nylon strings, meaning that the three high strings are made completely of nylon, whereas the three low strings have a nylon core wrapped with steel.

1. Remove the string that is to be replaced. Remove the remnants of broken strings from the machine heads and the saddle.

2. There are different ways of attaching the string to the bridge. The following is the most common:

3. Pass the string through the provided slot in the nut (Illustration 2) into the appropriate machine head. The strings are often much longer than necessary.

Illustration 1

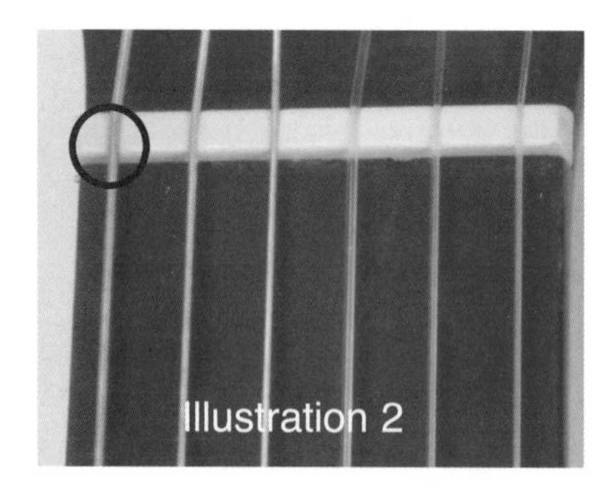

Illustration 2

4. Now, you turn the knob of the machine head. The string should wind around the capstan three to four times. Here, ensure that the winding is uniform. See Illustration 3 for the turning direction. If a string guide exists, attach the string accordingly.

5. Tune the string. To stabilize the string tension, you should stretch the string by pulling it across the fretboard with the aid of the fingers and carefully stretching it.

6. Tune the guitar once again.

7. Take a string cutter and snip off the excess string at the machine head.

8. The guitar must usually be tuned several times until it holds its tune. This is more often true for nylon strings than steel strings.

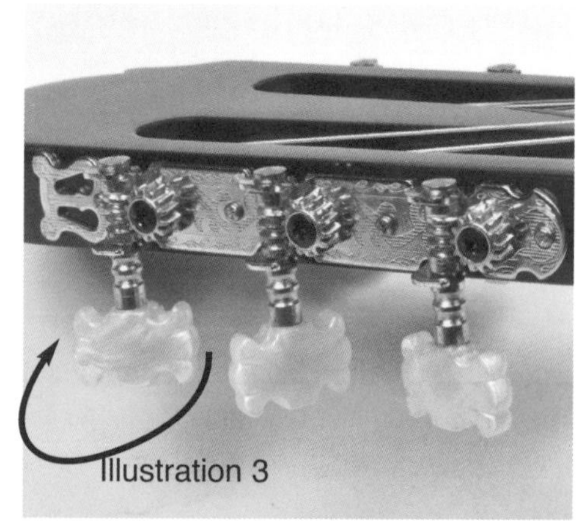

Illustration 3

## Care:

The concert guitar is a handmade wooden instrument and should be handled with care. The guitar is best kept in its case, protected against dust and humidity. Never clean the surface of the guitar with aggressive cleaning agents.

## How to hold the guitar

As can be seen on the picture, the guitar is laid upon the left leg. This should be slightly raised by help of a footstool. It is an approved position to reach a good balance and playability.

## The left hand

The left hand is attached to the guitar neck in form of a „claw“.
The thumb builds up the support at the backside of the neck. With the remaining fingers of the left hand the strings are pressed onto the frets.

## The right hand

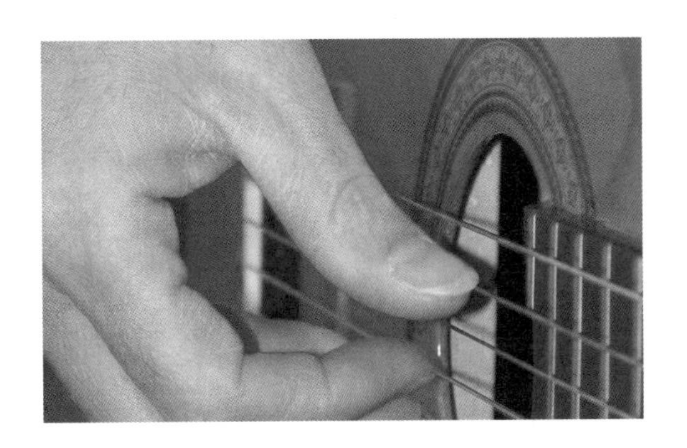

The strings are strummed with it. The arm should rest easily on the corpus of the guitar.
For strumming you use your thumb, index finger, middle finger, and ring finger.

## The thumb of the right hand

In pieces for several voices, all tones in which the stern is pointing downwards are strummed with the thumb (example 1). If a note has two sterns (example 2), it is played with the thumb, if not mentioned otherwise.

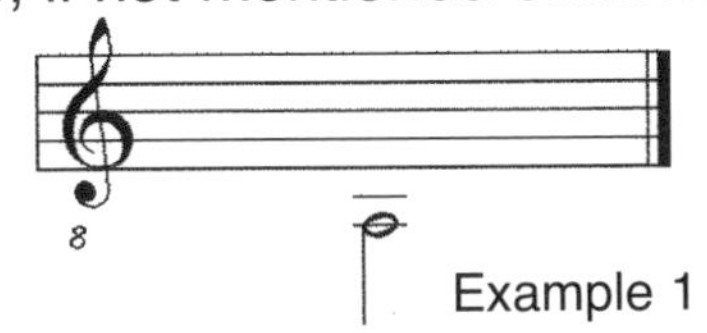

Example 1

Example 2

## Fingering

To make playing the guitar easier, fingering is primarily given for the left hand in the sheet music. Here, the following designations are used:
The left hand: 0 = empty string, 1 = index finger, 2 = middle finger, 3 = ring finger, 4 = little finger.

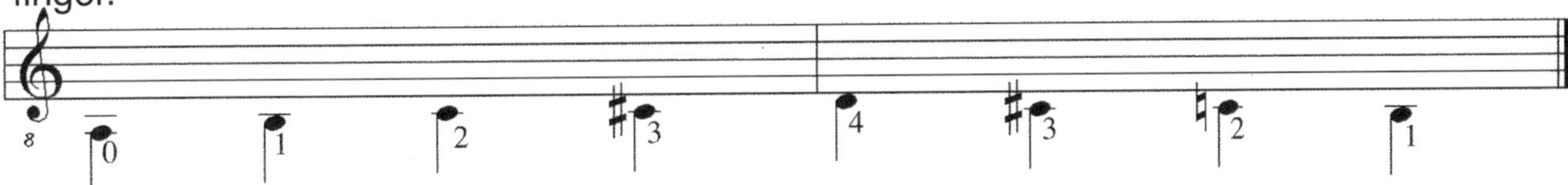

# Our notes

In order to depict sounds graphically, the notes were invented.
The following section shows the basic musical terms.

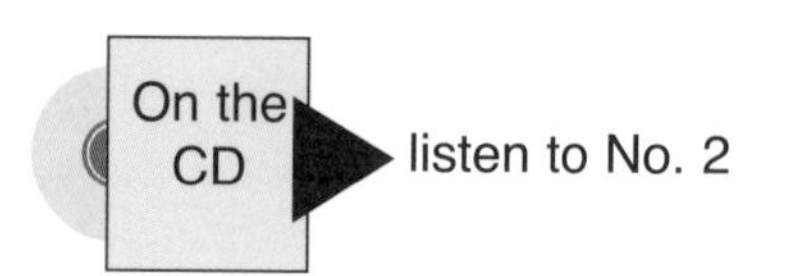


## The scale

In music there are seven basic tones, which are constantly recurring.
They are called: c, d, e, f, g, a, b.

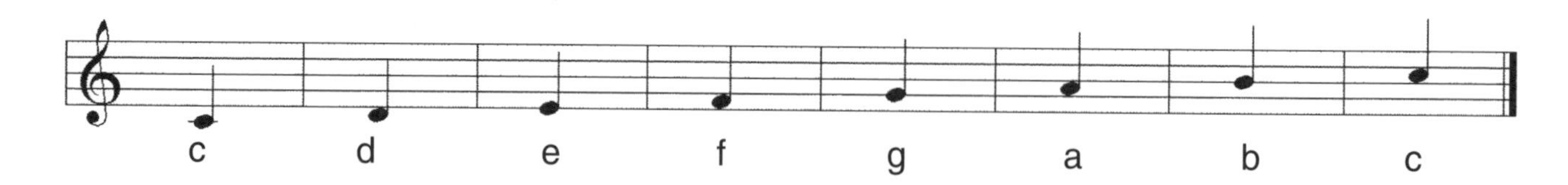


For playing in different keys sharps (#) are needed, which raise the picht of a note by one half step, and flats („b“), which lower the pitch if a note by a halfstep.

## Scale with sharpening sign „#“:

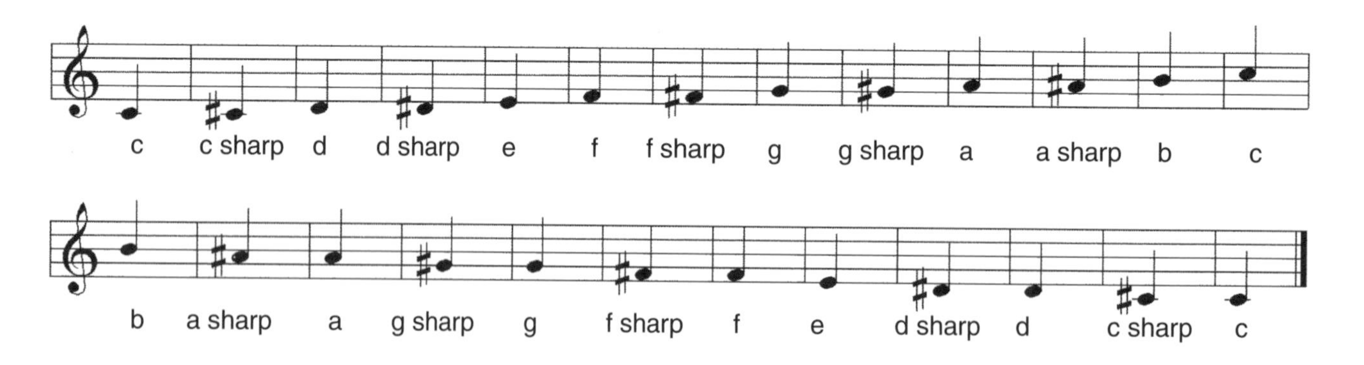


## Scale with flattening sign „b“:

# The values of notes and rests

A point after a note or rest lengthens its value by the half.

## The types of beat

The 4/4 beat

The 3/4 beat

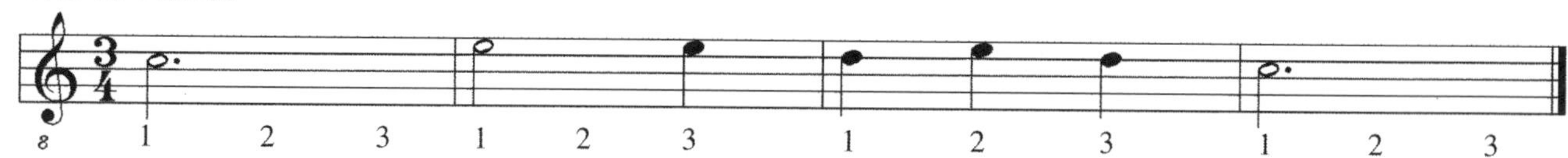


The 2/4 beat

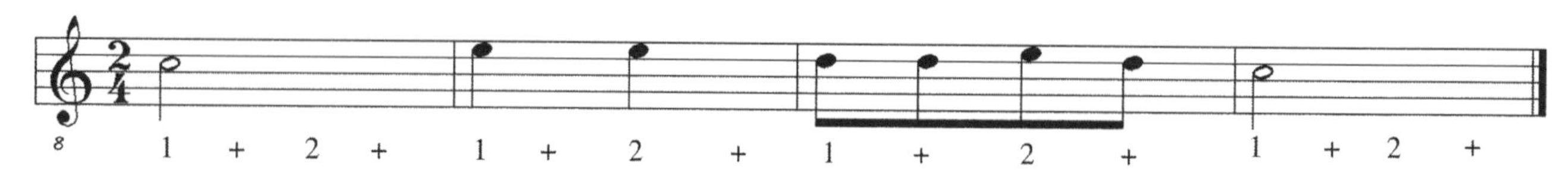


The 6/8 beat

## Important musical signs

| | |
|---|---|
| ........................... | Final character |
| ........................... | Repetition of all measures between those signs |
| ........................... | Fermata – the note is lengthened |
| DA CAPO *D.C.* ......................... | Repetition from beginning of the piece |
| al .......................................... | up to |
| Fine ....................................... | End |
| DAL SEGNO *D.S.* 𝄋 .............. | Repetition starting from DAL SEGNO sign |
| ⊕ ........................................... | in case of repetition – jump from head ⊕<br>to lower head ⊕ |
| p = piano ............................... | played silently |
| pp = pianissimo ...................... | played very silently |
| f = forte .................................. | played loudly |
| ff = fortissimo .......................... | played very loudly |
| Arpeggio ................................ | the tones are strummed subsequently starting<br>with the lowest. |

# HE'S GOT THE WHOLE WORLD IN HIS HANDS

1.
He's got the whole world in his hands . . .

2.
He's got a tiny little baby in his hands . . .

3.
He's got the you and me brother in his hands . . .

4.
He's got the son and his father in his hands . . .

5.
He's got the mother and her daughter in his hands . . .

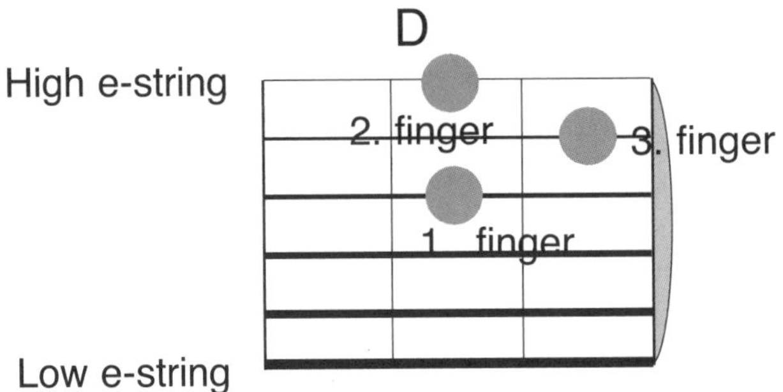


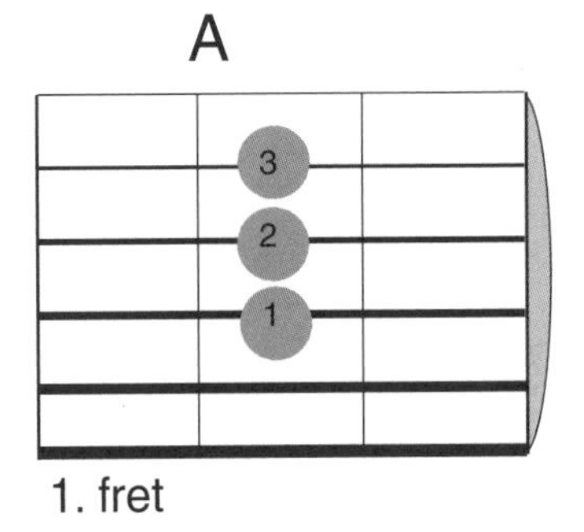

For listening No. 3
For playing along with No. 4

## FOR ELISE LUDWIG VAN BEETHOVEN

Actually a piano melody by Ludwig van Beethoven. Nevertheless it sounds really charming also on concert guitar – played along with the karaoke CD.

On the CD ▶ For listening No. 5
For playing along with No. 6

# DER MOND IST AUFGEGANGEN Karaoke version

In this wonderful German folksong you can play along the melody voice with the karaoke CD. An easy version also exists for concert guitar pure!

# ALLEGRETTO FERDINANDO CARULLI

Ferdinando Carulli was born on February 10th 1770 in Naples. He created all in all about 400 works, most of them for guitar and flute.

On the CD ▶ For listening No. 11
For playing along with No. 12

# ANDANTINO FERDINANDO CARULLI

## AMAZING GRACE

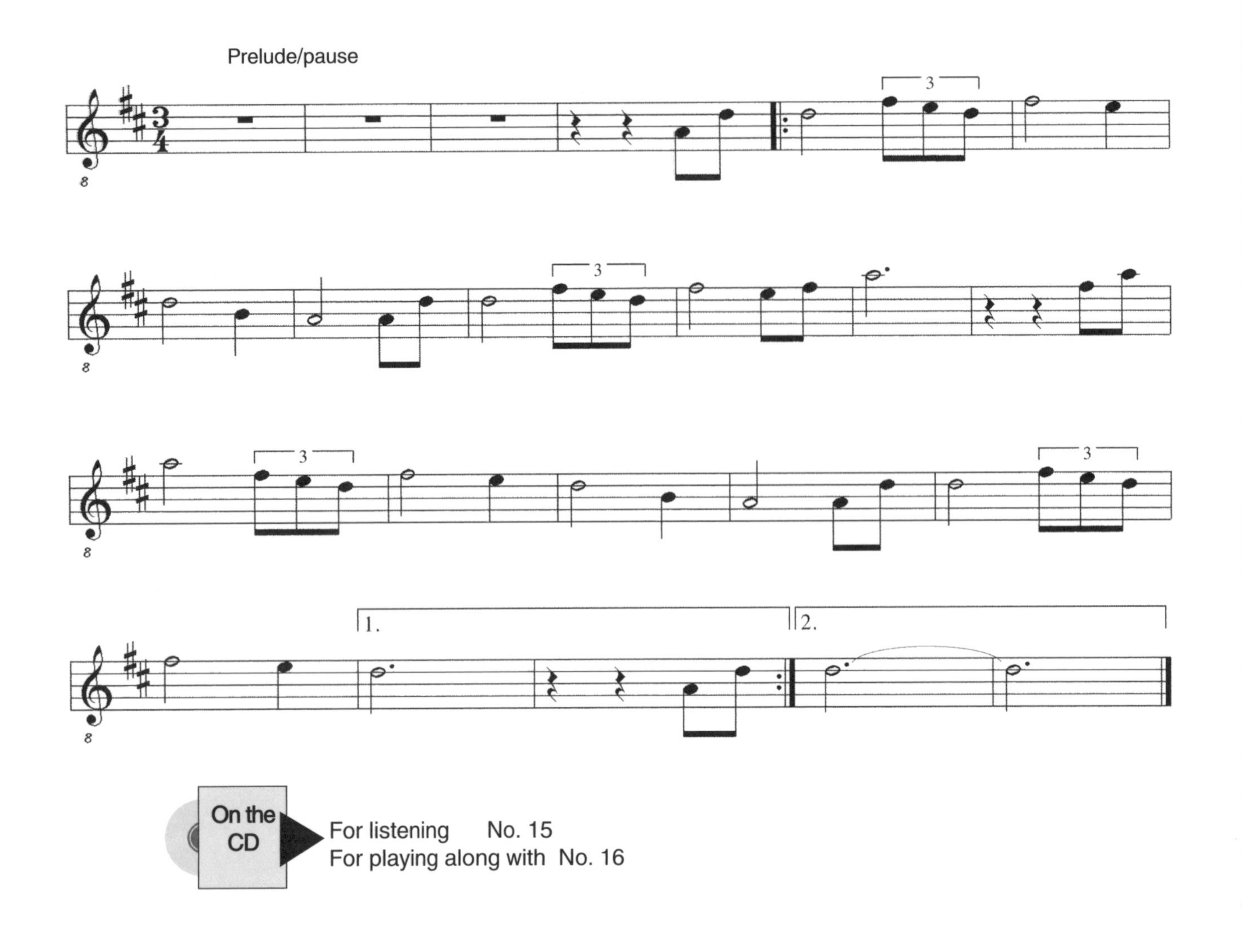


On the CD ▶ For listening No. 15
For playing along with No. 16

## SPIELEREI

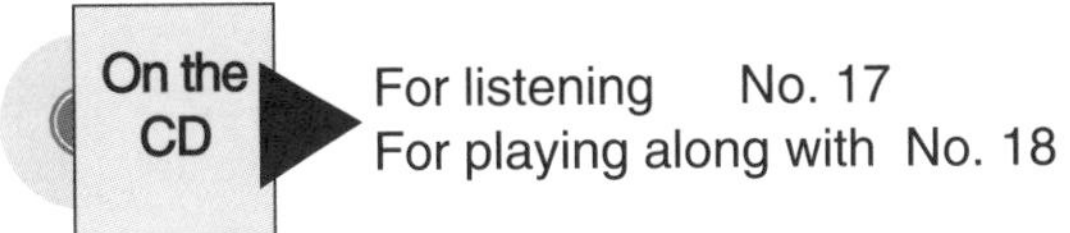


# KUM BA YAH, MY LORD Karaoke version

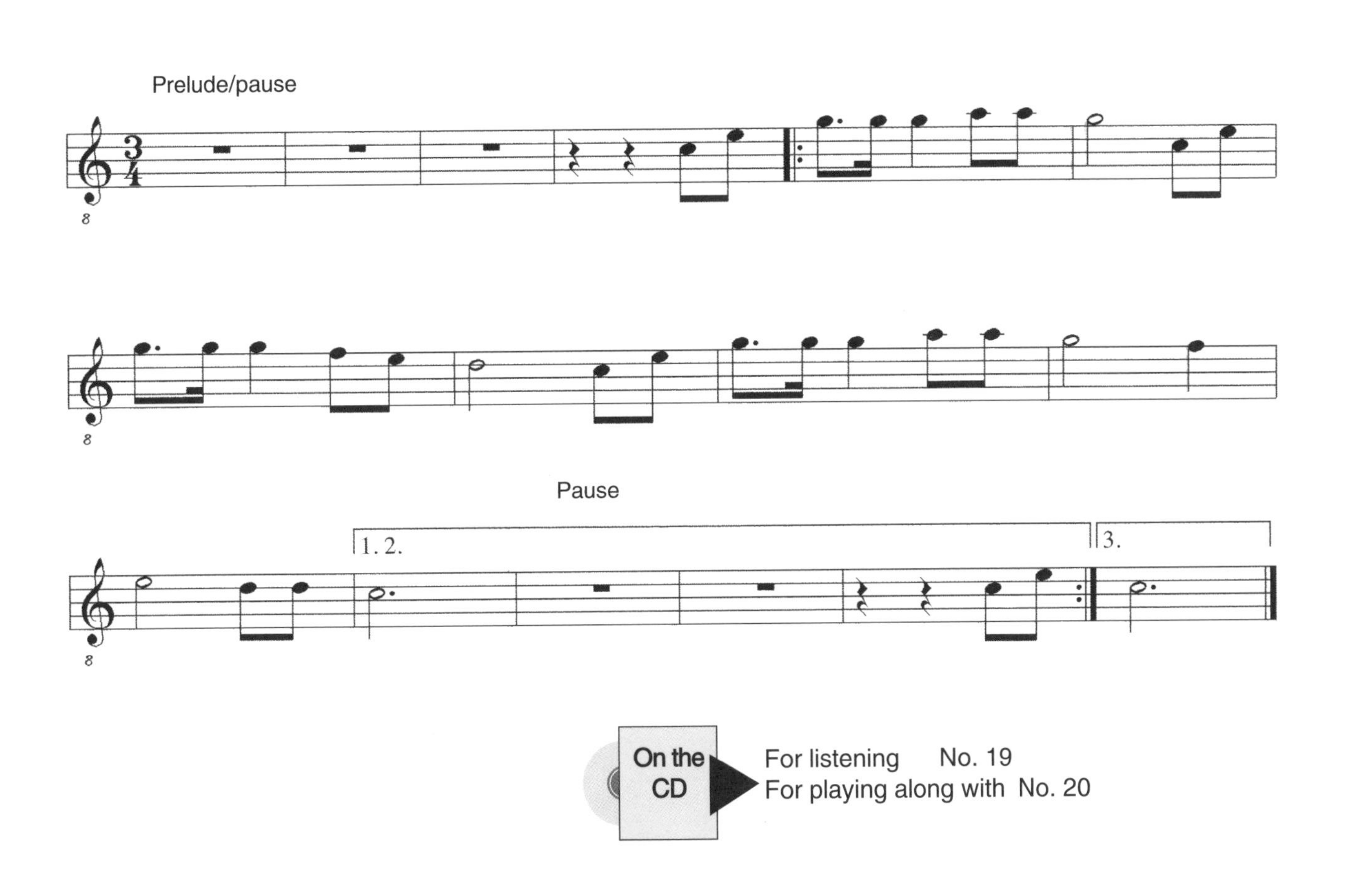

# ANDANTINO FERNANDO SOR

Fernando Sor was born on February 13th 1778 in Barcelona. As a guitarist and composer he wrote many pieces for the concert guitar. The Andante and Andantino by Fernando Sor is just a small selection from his extensive guitar compositions.

# ANDANTE FERNANDO SOR

# ANONYMOUS ROMANCE Karaoke version

Everyone knows and loves this old piece of music whose composer remains unknown. This version for concert guitar is quite difficult to play.

On the CD
For listening No. 25
For playing along with No. 26

# STÜCKCHEN

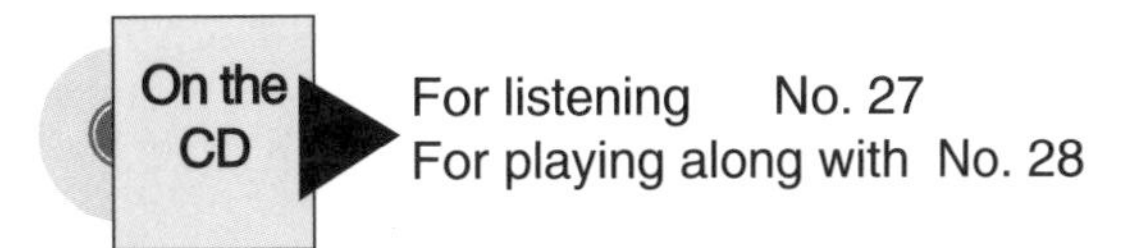

# ANONYMOUS ROMANCE concert guitar version

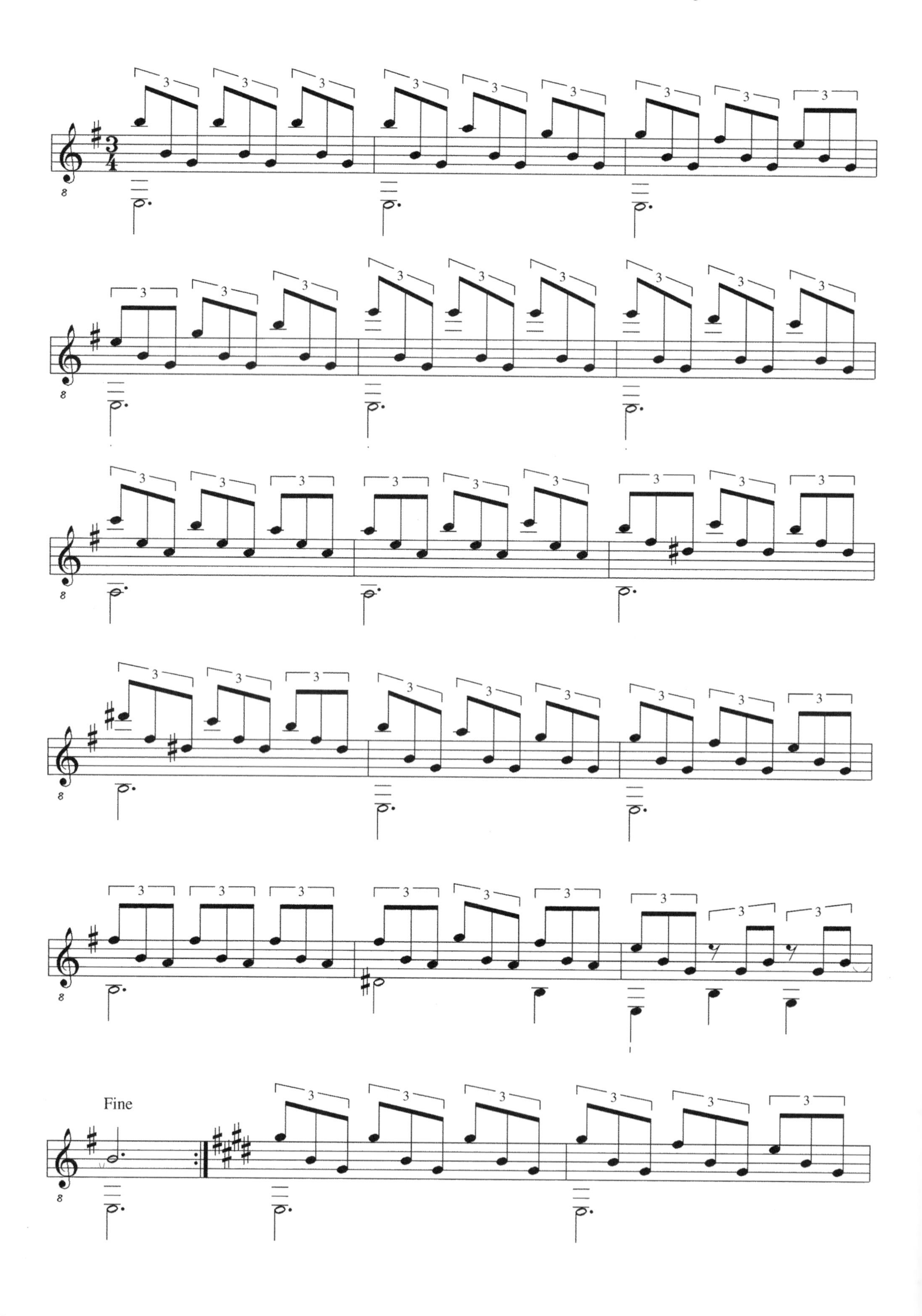

D.C al Fine
On the CD
For listening No. 29
For playing along with No. 30

# GREENSLEEVES Karaoke version

A wonderful old Irish folksong. Edited for unisonous playing along with the CD and for polyphonic playing along on the concert guitar.

# GREENSLEEVES Concert guitar version

# BOURRÉE J. S. BACH

The guitar hit by **Johann Sebastian Bach** – even though this piece was not originally composed for the guitar. Bach's music for guitar is quite difficult to play and requires intensive practising.

On the CD
For listening No. 35
For playing along with No. 36

# CAPRICCIO J. GRAF LOSY VON LOSINTAL

# ECOSSAISE MAURO GIULIANI

The ecossaise originally is an old Scottish folk dance.
The Italian guitarist Mauro Giuliani, born on July 27th 1781, composed more than 300 works for guitar in his lifetime.

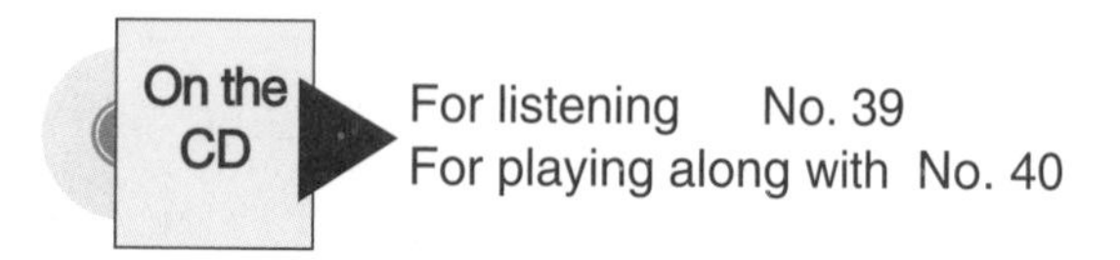

# MY BONNIE IS OVER THE OCEAN

Many famous musicians and bands have already worked upon and played this old mariner song. With the help of the CD and a little practising this will also work out with the concert guitar.

# ALLEMANDE

# *Tocar viola é divertido*

## Índice

Introdução 138
A Afinação 138
Trocar as Cordas da Viola 139
O Posicionamento da Viola 140
A Mão Esquerda 140
A Mão Direita 140
O Posicionamento dos Dedos 140
As Nossas Notas 141
Tipos de Compasso 143
Símbolos Musicais Importantes 143
He's Got the Whole Wold in His Hands 144
Para Elisa 145
Der Mond ist aufgegangen 146
Allegretto 147
Andantino - Ferdinando Carulli 148
Amazing Grace 149
Spielerei 149
Kum ba yah 150
Andantino - Fernando Sor 151
Andante 152
Balada Anónima versão para karaoke 153
Stückchen 154
Balada Anónima versão para viola 155
Greensleeves 157
Bourrée 159
Capriccio 160
Ecossaise 161
My Bonnie is Over the Ocean 162
Allemande 163

## Conteúdo do CD

1. Afinação
2. Escala de Dó Maior
3. He's Got the Whole Wold in His Hands .. para ouvir
4. He's Got the Whole Wold in His Hands .. para tocar
5. Para Elisa ........................................ para ouvir
6. Para Elisa ........................................ karaoke para tocar
7. Der Mond ist aufgegangen .................. para ouvir
8. Der Mond ist aufgegangen .................. karaoke para tocar
9. Der Mond ist aufgegangen .................. viola para ouvir
10. Der Mond ist aufgegangen ................ viola para ensaiar
11. Allegretto ........................................ viola para ouvir
12. Allegretto ........................................ viola para ensaiar
13. Andantino ........................................ viola para ouvir
14. Andantino ........................................ viola para ensaiar
15. Amazing Grace ................................ para ouvir
16. Amazing Grace ................................ karaoke para tocar
17. Spielerei ........................................ viola para ouvir
18. Spielerei ........................................ viola para ensaiar
19. Kum ba yah .................................... para ouvir
20. Kum ba yah .................................... karaoke para tocar
21. Andantino ........................................ viola para ouvir
22. Andantino ........................................ viola para ensaiar
23. Andante ........................................ viola para ouvir
24. Andante ........................................ viola para ensaiar
25. Balada Anónima ........................ para ouvir
26. Balada Anónima ........................ karaoke para tocar
27. Stückchen ................................ viola para ouvir
28. Stückchen ................................ viola para ensaiar
29. Balada Anónima ........................ viola para ouvir
30. Balada Anónima ........................ viola para ensaiar
31. Greensleeves ............................ para ouvir
32. Greensleeves ............................ karaoke para tocar
33. Greensleeves ............................ viola para ouvir
34. Greensleeves ............................ viola para ensaiar
35. Bourrée ...................................... viola para ouvir
36. Bourrée ...................................... viola para ensaiar
37. Capriccio .................................... viola para ouvir
38. Capriccio .................................... viola para ensaiar
39. Ecossaise .................................. viola para ouvir
40. Ecossaise .................................. viola para ensaiar
41. My Bonnie is Over the Ocean ...... viola para ouvir
42. My Bonnie is Over the Ocean ...... viola para ensaiar
43. Allemande .................................. viola para ouvir
44. Allemande .................................. viola para ensaiar

## Introdução

O livro, juntamente com o CD, vai ajudar-te a conhecer o mundo da viola. Trata-se da escola de viola clássica e não substitui aulas de guitarra.
Com muitos exemplos de músicas conhecidas, o CD revela as muitas possibilidades da viola, desde o simples acompanhamento de canções até ao "hit" não tão fácil de executar na viola: o Bourrée de Johann Sebastian Bach. Muitas músicas são acompanhadas de uma versão de karaoke no CD, o que possibilita tocar como um conjunto musical. Encontrarás também para todas as melodias clássicas uma versão mais lenta para ensaiar.

**Verás que tocar guitarra é divertido!**

### A Afinação:

De modo a poderes tocar as canções do CD, a viola tem de ser afinada. No CD, todas as seis cordas começam por ser tocadas a partir da corda Mi menor,
tal como demonstrado na seguinte figura:

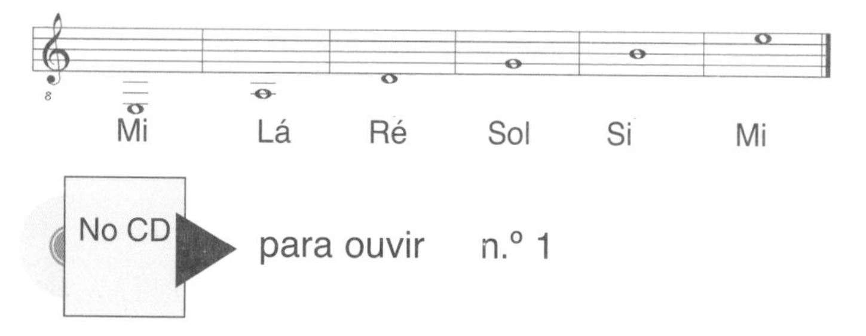


### O Afinador:

Com o afinador, a afinação processa-se de forma mais simples. O aparelho é ligado e fica automaticamente pronto. Quando a corda é colocada na cabeça da viola na tarraxa correspondente, sendo esticada, o LED revela com uma oscilação para a esquerda uma afinação demasiado grave e, com uma oscilação para a direita, uma afinação excessivamente aguda. Quando este aponta exactamente ao meio, a corda está com o tom correcto.

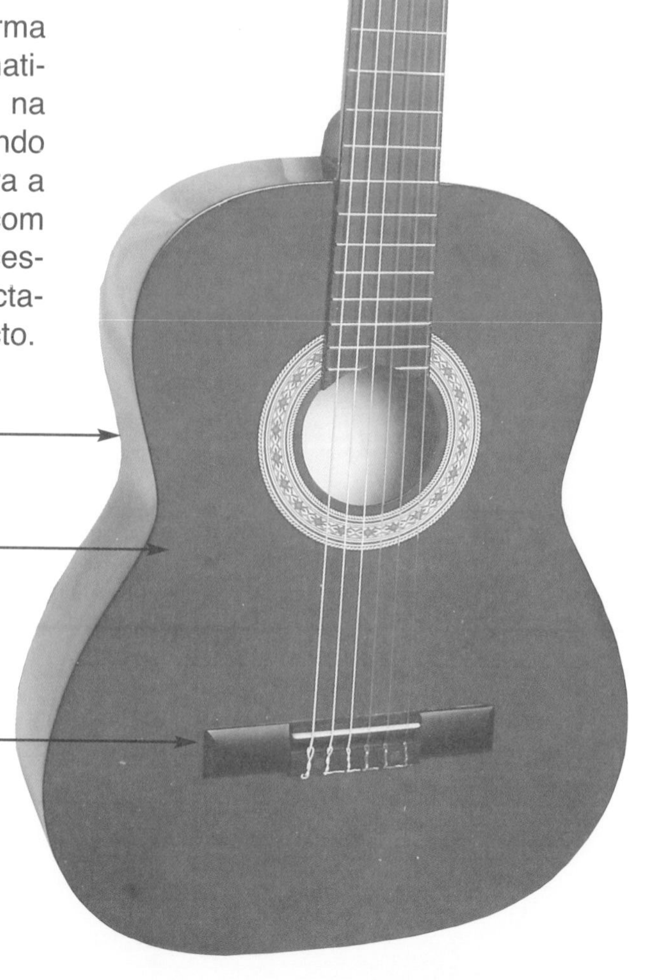

## Trocar as Cordas da Viola

Trocar as cordas é maçador, contudo é necessário. Estas podem partir-se por diversos motivos (por exemplo, quando se encontram excessivamente esticadas). Adicionalmente, a sua longevidade não é longa. Devido ao pó e à acumulação de sujidade e transpiração, as cordas perdem com o tempo sonoridade e pureza no som. Nessa altura, o mais tardar, deves comprar um novo conjunto de cordas para a tua viola.

## Colocar as Cordas da Viola

A viola tem cordas de nylon, ou seja, as três cordas superiores são constituídas exclusivamente por nylon, ao passo que as três cordas inferiores são compostas por nylon no seu interior, sendo revestidas a aço.

1. Remove a corda a ser substituída. Remove as restantes cordas partidas da cabeça e do rastilho.

2. Existem diferentes modos para prender a corda ao cavalete. A mais comum é a seguinte:

Imagen 1

3. Faz passar a corda pelos entalhes da pestana (figura 2) até à cabeça da viola. Com frequência, as cordas são bastante mais longas do que o necessário.

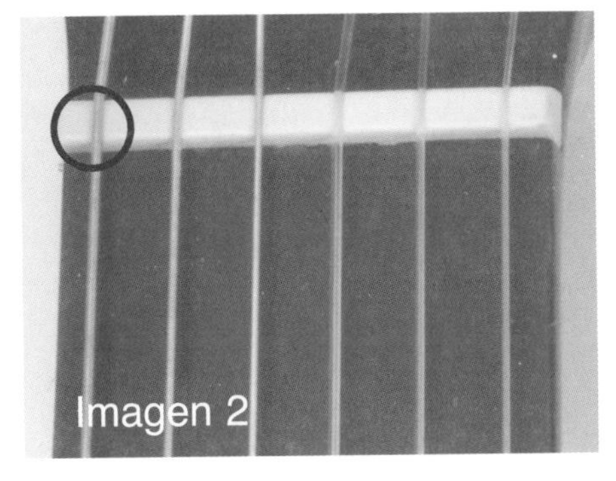

Imagen 2

4. Roda a tarraxa da cabeça da viola. A corda enrolar-se-á três a quatro vezes à volta do parafuso. É de ter em atenção que a bobinagem deve ser regular. Para regular a tensão da corda, observa a figura 3. Caso haja um mecanismo de cordas, coloca a corda no sítio correspondente.

5. Estica a corda. Por forma a estabilizá-la, deves alongar a corda, puxando-a com os dedos ao longo do braço da viola e esticando-a cuidadosamente.

6. Afina a viola uma vez mais.

7. Pega numa tesoura e corta o excesso de corda na cabeça da viola.

8. Até a viola estar afinada, é geralmente necessário ir fazendo acertos. Tal é mais comum com cordas de nylon do que com cordas de aço.

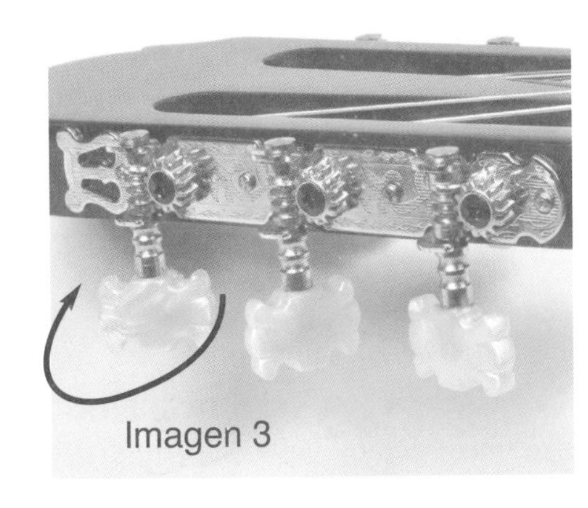

Imagen 3

## Conservação:

A viola é um instrumento de madeira fabricado à mão e deve ser manuseado com cuidado. O saco é o melhor para proteger a viola contra o pó e a humidade. A superfície da viola não deve de modo algum ser limpa com produtos de limpeza abrasivos.

## O Posicionamento da Viola

Tal como demonstrado na imagem, a viola é colocada sobre a perna esquerda. Recorrendo a um escabelo, a perna deve encontrar-se ligeiramente mais elevada. Está comprovado que esta é uma posição que permite um bom equilíbrio e tocar bem.

## A Mão Esquerda

Imitando uma "garra", coloca a mão esquerda no braço da viola.
O polegar constitui um apoio no lado traseiro do braço. Com os restantes dedos da mão esquerda, pressiona as cordas.

## A Mão Direita

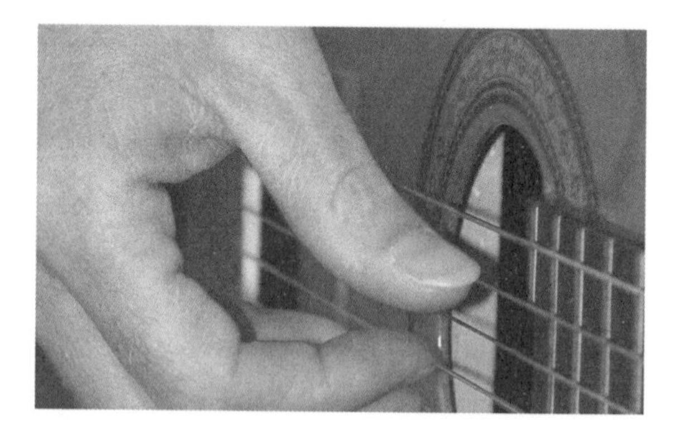

Com esta mão é que se tocam as cordas. O braço deve repousar à vontade sobre o corpo da viola.
Para tocar recorrem-se ao polegar, ao indicador ao dedo médio e ao anelar.

## O Polegar da Mão Direita

Nas peças para vários instrumentos, em que o símbolo da nota esteja virado para baixo, todas as notas deverão ser batidas com o polegar (exemplo 1). Caso uma nota tenha duas hastes (exemplo 2), esta deverá ser tocada, caso não haja indicação em contrário, com o polegar.

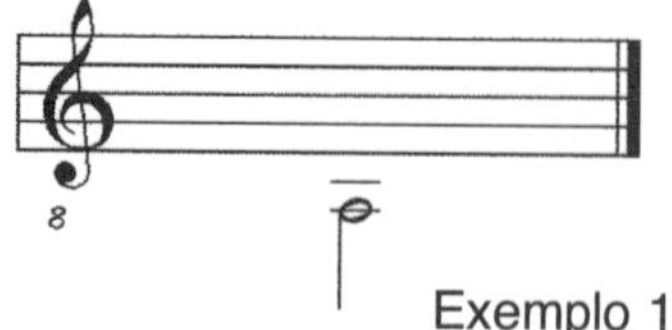

Exemplo 1

Exemplo 1

## O Posicionamento dos Dedos

De modo a facilitar a prática da viola, é indicado junto às notas o posicionamento dos dedos, nomeadamente da mão esquerda. Este compreende os seguintes símbolos:
Mão esquerda: 0 = sem nota; 1 = indicador; 2 = dedo médio; 3 = anelar; 4 = mindinho.

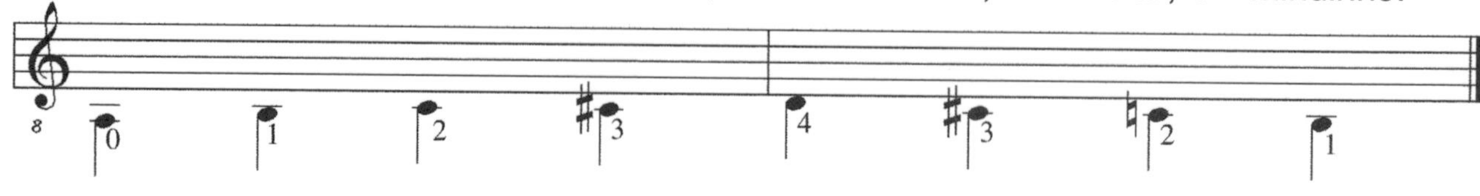

## As Nossas Notas

Para representar notas graficamente, foram inventadas as notas.
Esta secção revela os princípios musicais básicos.

### A Escala:

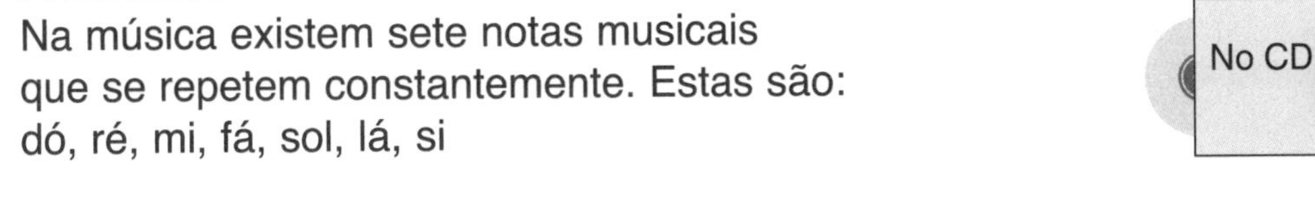

Na música existem sete notas musicais
que se repetem constantemente. Estas são:
dó, ré, mi, fá, sol, lá, si

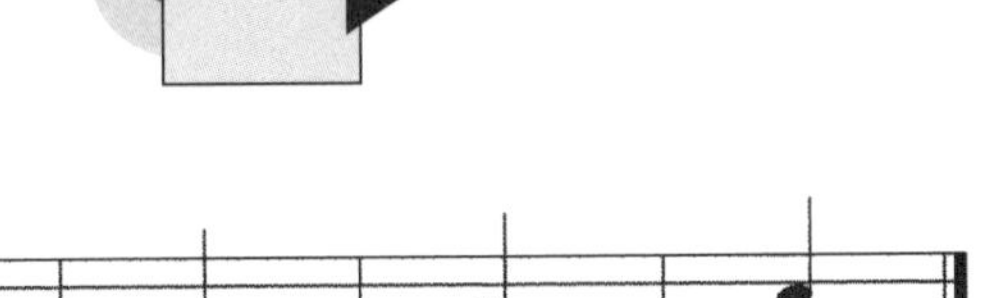


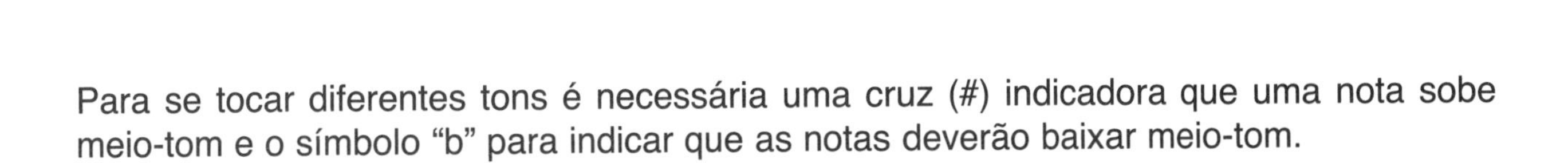


Para se tocar diferentes tons é necessária uma cruz (#) indicadora que uma nota sobe meio-tom e o símbolo "b" para indicar que as notas deverão baixar meio-tom.

### Escala Cromática Com o Símbolo "#":

### Escala Cromática Com o Símbolo "b":

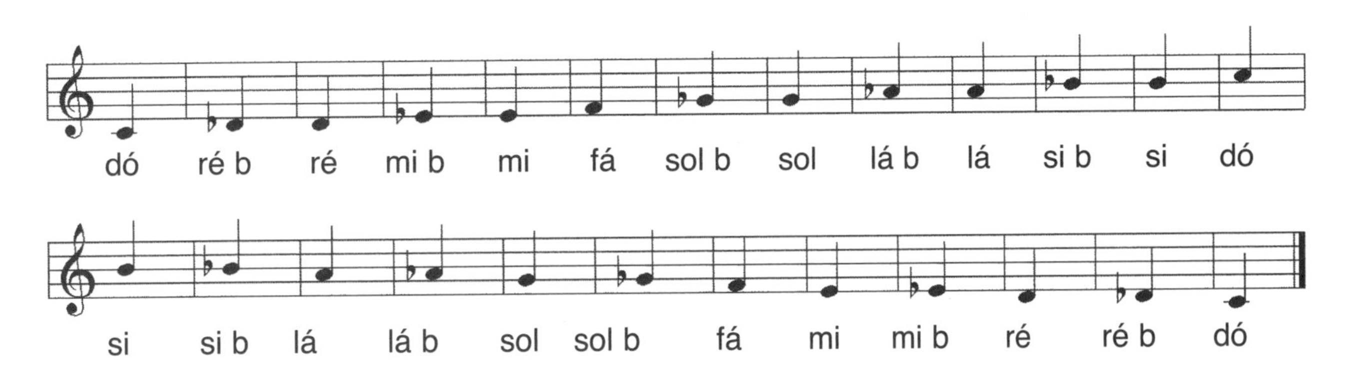

## Os Valores das Notas e das Pausas:

Um ponto em frente a uma nota prolonga-a em metade do seu valor.

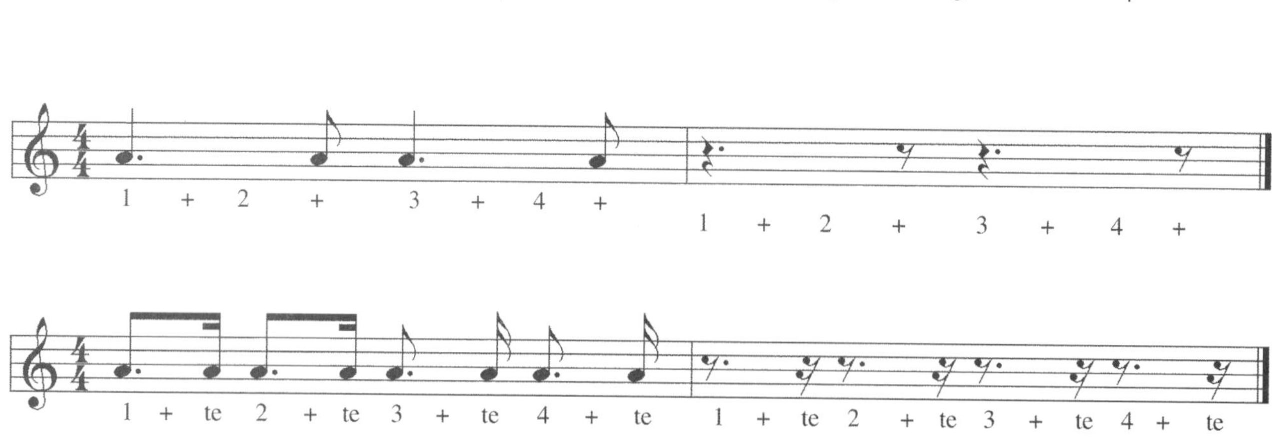

## Tipos de Compasso

**Compasso a 4/4**

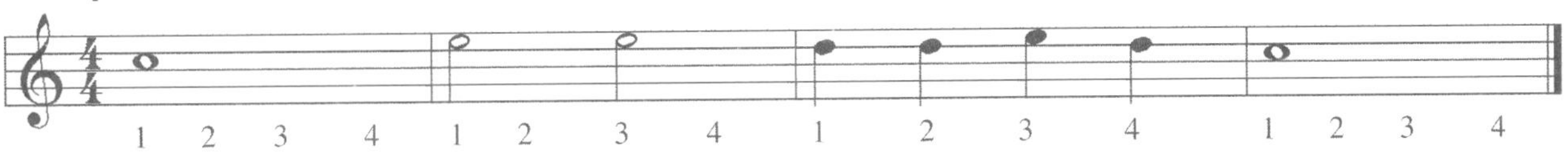


**Compasso a 3/4**

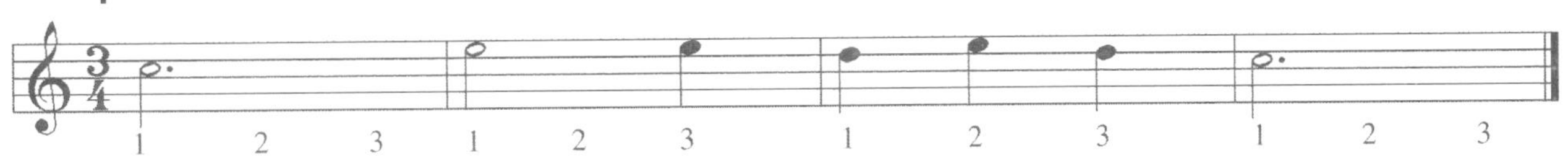


**Compasso a 2/4**

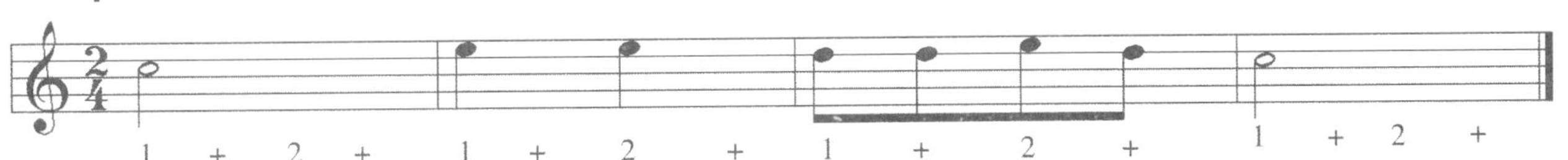


**Compasso a 6/8**

## Símbolos Musicais Importantes

............................ Barra final

............................ Repetição – todos os compassos ente estes símbolos são repetidos

............................ Fermata – a nota é prolongada

DA CAPO *D.C.* ............................ Repetição desde o início da peça

al ............................................ até

Fine ......................................... Fim

DAL SEGNO *D.S.* 𝄋 ................ Repetição a partir do símbolo DAL SEGNO

𝄌 ............................................ Em repetições – pula do símbolo 𝄌 até ao símbolo final 𝄌

p = piano ................................ Execução suave

pp = pianissimo ...................... Execução muito suave

f = forte ................................. Execução forte

ff = fortissimo ......................... Execução muito forte

Arpeggio ................................ As notas são tocadas de início umas após as outras a partir do mais agudo

# HE'S GOT THE WHOLE WORLD IN HIS HANDS

Com a primeira canção, um espiritual bem conhecido, aprenderás a tocar e a acompanhar com acordes. Os acordes necessários para isso encontram-se indicados na partitura. No CD encontras uma versão com acompanhamento à viola e uma versão para karaoke para tocar sem acompanhamento de viola.
Diverte-te!

1.
He's got the whole world in his hands . . .

2.
He's got a tiny little baby in his hands . . .

3.
He's got the you and me brother in his hands . . .

4.
He's got the son and his father in his hands . . .

5.
He's got the mother and her daughter in his hands . . .

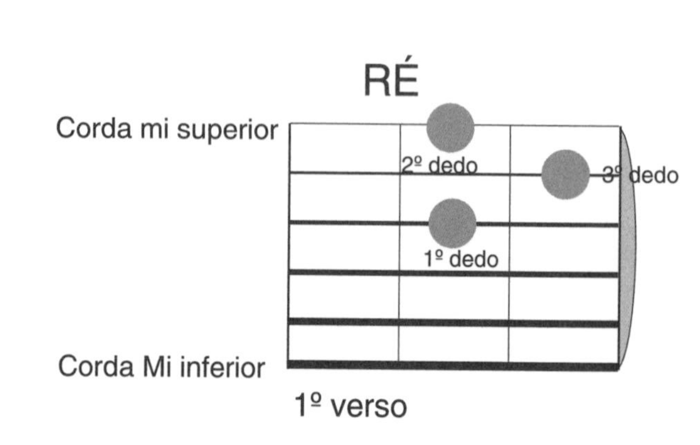


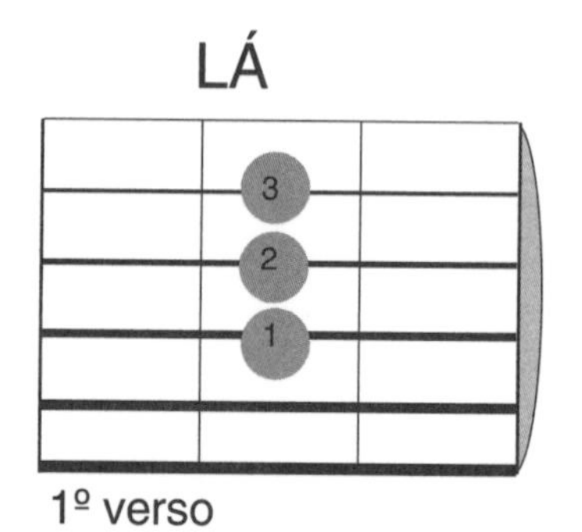

# PARA ELISA LUDWIG VAN BEETHOVEN

Na verdade, esta é uma melodia de Ludwig van Beethoven para piano. Porém, é também maravilhosa em viola, tocada ao som de um CD de karaoke.

## DER MOND IST AUFGEGANGEN versão para karaoke

Nesta maravilhosa canção popular podes tocar a melodia com o CD de karaoke. Há ainda uma versão original para viola!

Abertura / Pausa

## DER MOND IST AUFGEGANGEN versão para viola

No CD para ouvir n.º 7 para tocar n.º 8

No CD para ouvir n.º 9 para tocar n.º 10

# ALLEGRETTO FERDINANDO CARULLI

Ferdinando Carulli nasceu a 10 de Fevereiro de 1770 em Nápoles. No total criou aproximadamente 400 obras, a maioria das quais para viola e flauta.

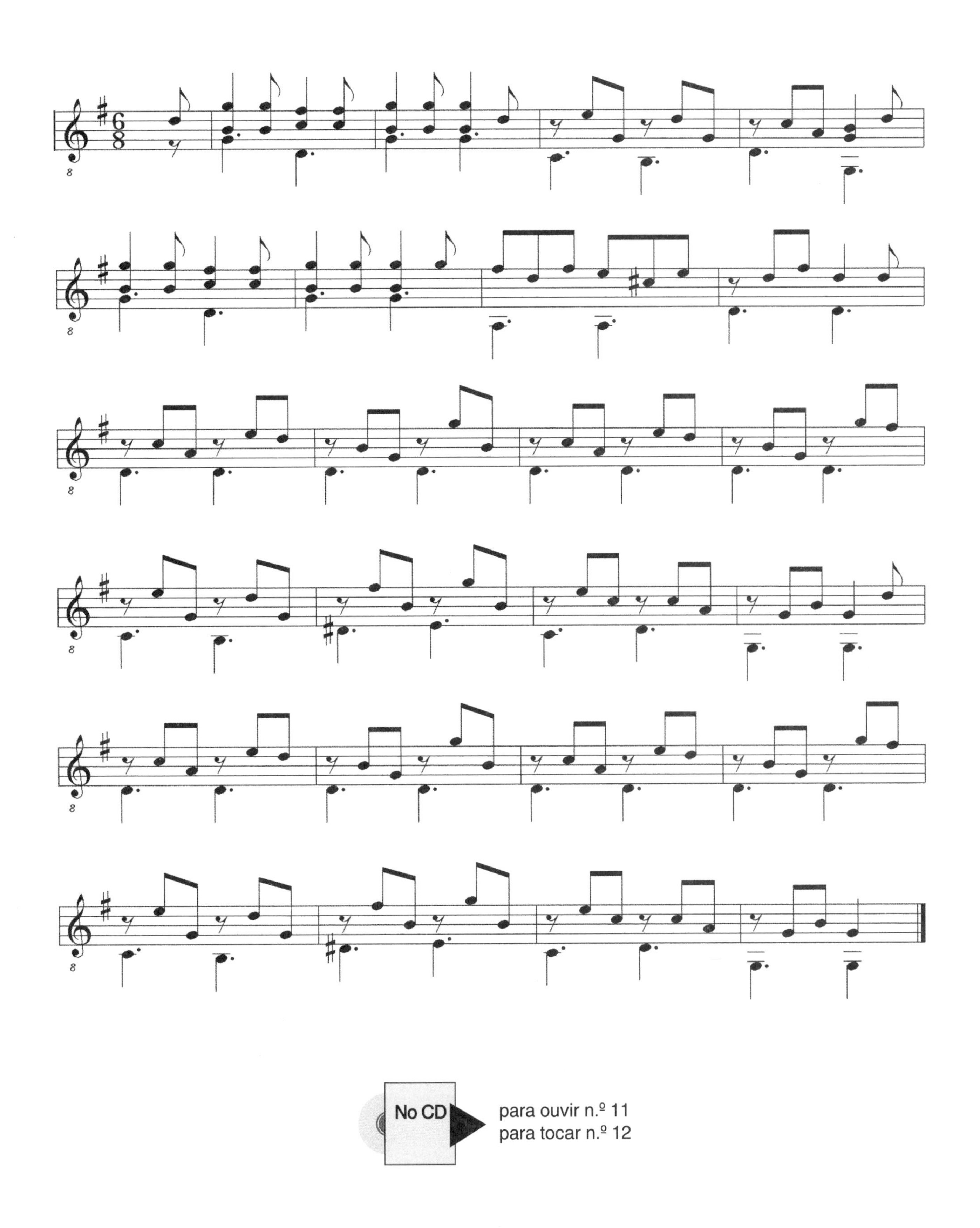

No CD para ouvir n.º 11
para tocar n.º 12

## ANDANTINO FERDINANDO CARULLI

# AMAZING GRACE

# SPIELEREI

## KUM BA YAH, MY LORD versão para karaoke

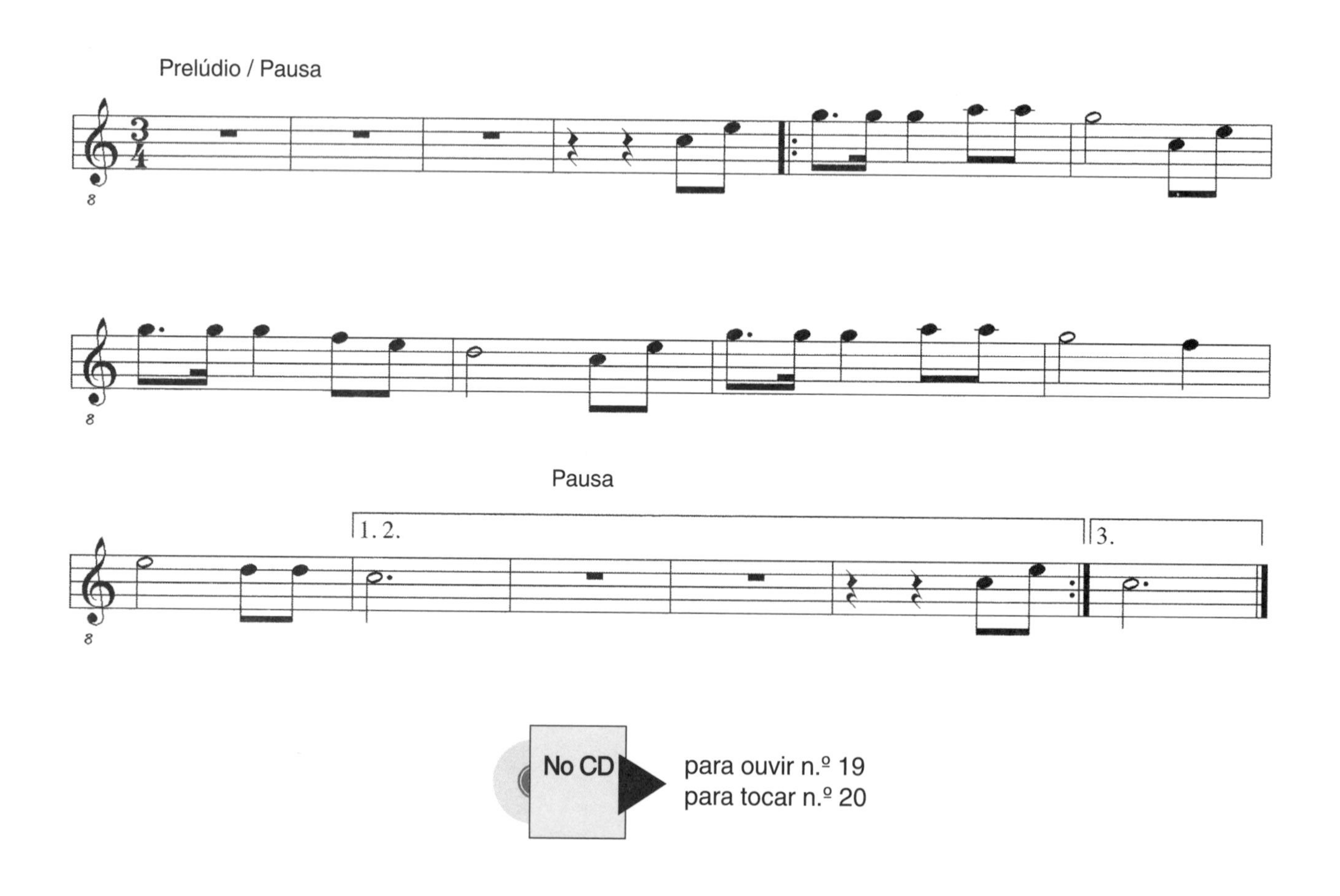

# ANDANTINO FERNANDO SOR

Fernando Sor nasceu a 13 de Fevereiro de 1778 em Barcelona. Enquanto guitarrista e compositor escreveu muitas obras para viola. "Andante" e "Andantino" de Fernando Sor tratam-se apenas de uma curta selecção das suas vastas composições para viola.

No CD para ouvir n.º 21
para tocar n.º 22

## ANDANTE FERNANDO SOR

# BALADA ANÓNIMA versão para karaoke

Todos conhecem e adoram este título. A obra é muito antiga e o compositor não é conhecido. A versão para viola não é muito simples de ser tocada.

# STÜCKCHEN

No CD
para ouvir n.º 27
para tocar n.º 28

# BALADA ANÓNIMA versão para viola

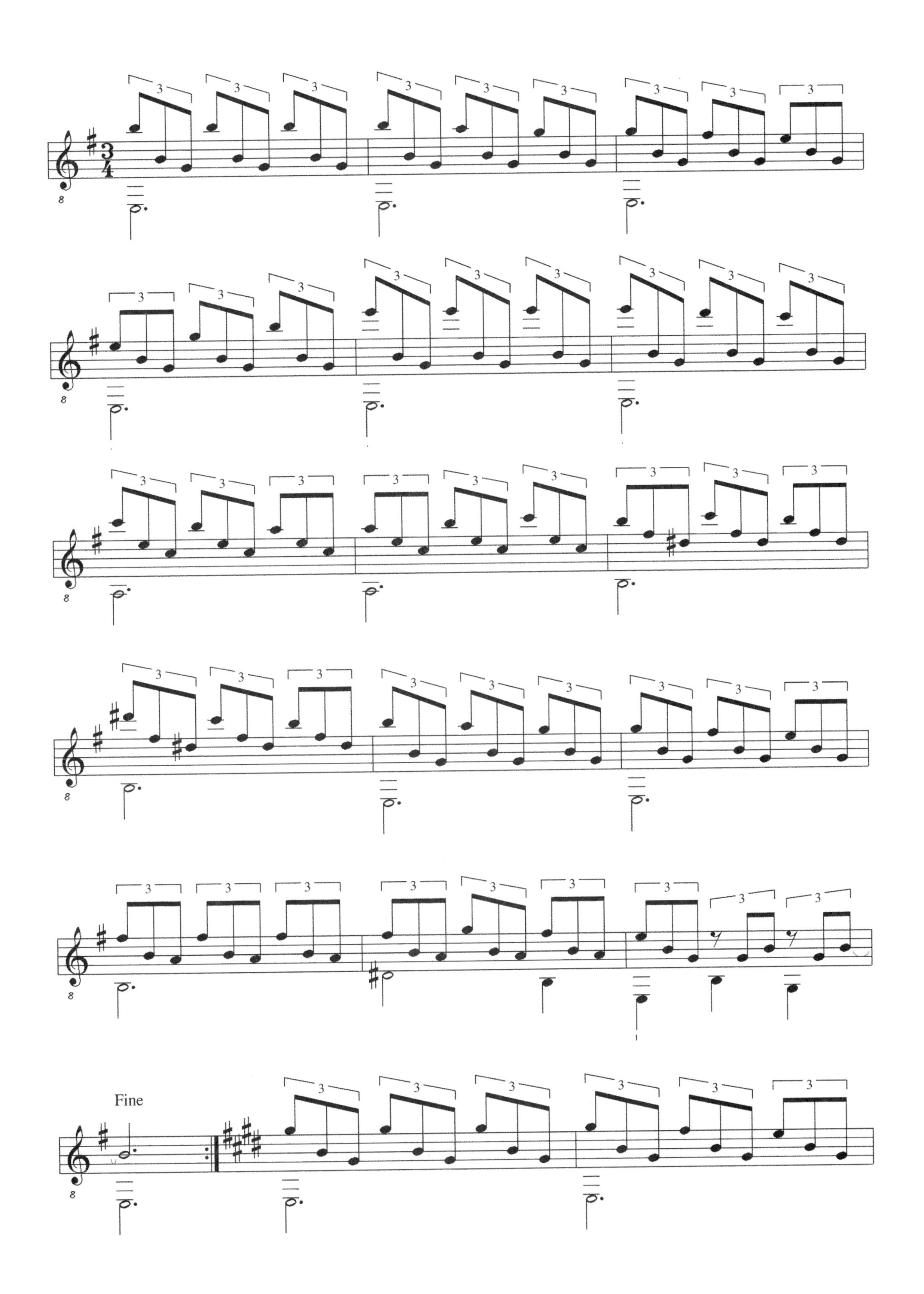

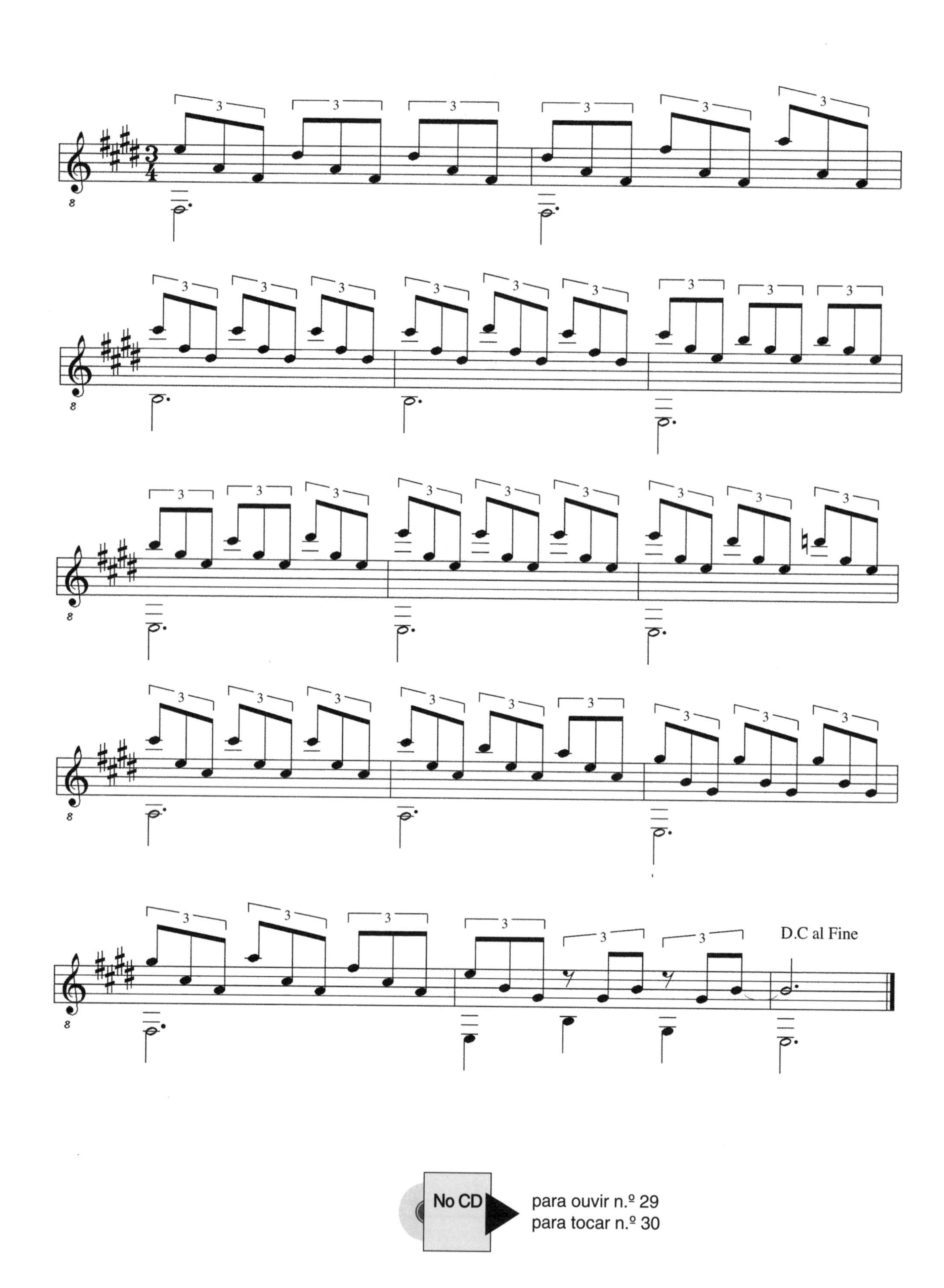


No CD para ouvir n.º 29
para tocar n.º 30

# GREENSLEEVES versão para karaoke

Uma antiga canção irlandesa maravilhosa. Concebida para ser tocada por um único instrumento aquando acompanhada de CD e por vários à guitarra.

## GREENSLEEVES versão para viola

No CD para ouvir n.º 33
para tocar n.º 34

# BOURRÉE J. S. BACH

O sucesso de viola de **Johann Sebastian Bach**, ainda que esta obra não tenha sido originalmente composto para viola. A música de viola de Johann Sebastian Bach não é fácil de tocar e requer uma prática intensa.

No CD para ouvir n.º 35
para tocar n.º 36

# CAPRICCIO J. GRAF LOSY VON LOSINTAL

# ECOSSAISE MAURO GIULIANI

A Ecossaise é originalmente uma antiga dança popular da Escócia. O guitarrista italiano Mauro Giuliani nasceu a 27.07.1781 e compôs no decurso da sua vida mais de 300 obras para viola.

# MY BONNIE IS OVER THE OCEAN

Muitos músicos e conjuntos musicais conhecidos já trabalharam e tocaram esta antiga canção de marinheiros. Com a ajuda do CD e um pouco de prática é também possível tocá-la com a viola.

# ALLEMANDE

No CD

para ouvir n.º 43
para tocar n.º 44

# *Klassiek gitaar spelen is leuk*

## Inhoudsopgave


Inleiding 165
De stemming 166
Gitaarsnaren verwisselen 167
De stand van de gitaar 167
De linkerhand 167
De rechterhand 167
De vingerzetting 167
De noten 168
De maatsoorten 170
Belangrijke muzikale tekens 170
He's got the Whole World in his Hands 171
Für Elise 172
Der Mond ist aufgegangen 173
Allegretto 174
Andantino - Ferdinando Carulli 175
Amazing Grace 176
Speelstukje 177
Kum ba yah 177
Andantino - Fernando Sor 178
Andante 179
Romanze anonym - karaoke versie 180
Stukje 181
Romanze anonym - versie klassiek gitaar 182
Greensleeves 184
Bourrée 186
Capriccio 187
Ecossaise 188
My Bonnie is over the Ocean 189
Allemande 190


## Inhoudsopgave CD


1. De stemming
2. De toonladder van C-majeur
3. He's got the Whole World in his Hands om te beluisteren.
4. He's got the Whole World in his Hands om mee te spelen
5. Für Elise ............ om te beluisteren
6. Für Elise ............ om mee te spelen
7. Der Mond ist aufgegangen ............ om te beluisteren
8. Der Mond ist aufgegangen ............ om mee te spelen
9. Der Mond ist aufgegangen ............ gitaar, om te beluisteren
10. Der Mond ist aufgegangen ............ gitaar, om te oefenen
11. Allegretto ............ gitaar, om te beluisteren
12. Allegretto ............ gitaar, om te oefenen
13. Andantino ............ gitaar, om te beluisteren
14. Andantino ............ gitaar, om te oefenen
15. Amazing Grace ............ om te beluisteren
16. Amazing Grace ............ om mee te spelen
17. Speelstukje ............ gitaar, om te beluisteren
18. Speelstukje ............ gitaar, om te oefenen
19. Kum ba yah ............ om te beluisteren
20. Kum ba yah ............ om mee te spelen
21. Andantino ............ gitaar, om te beluisteren
22. Andantino ............ gitaar, om te oefenen
23. Andante ............ gitaar, om te beluisteren
24. Andante ............ gitaar, om te oefenen
25. Romanze anonym ............ om te beluisteren
26. Romanze anonym ............ karaoke om mee te spelen
27. Stukje ............ gitaar, om te beluisteren
28. Stukje ............ gitaar, om te oefenen
29. Romanze anonym ............ gitaar, om te beluisteren
30. Romanze anonym ............ gitaar, om te oefenen
31. Greensleeves ............ om te beluisteren
32. Greensleeves ............ karaoke om mee te spelen
33. Greensleevs ............ gitaar, om te beluisteren
34. Greensleeves ............ gitaar, om te oefenen
35. Bourrée ............ gitaar, om te beluisteren
36. Bourrée ............ gitaar, om te oefenen
37. Capriccio ............ gitaar, om te beluisteren
38. Capriccio ............ gitaar, om te oefenen
39. Ecossaise ............ gitaar, om te beluisteren
40. Ecosaisse ............ gitaar, om te oefenen
41. My Bonnie is over the ocean .... gitaar, om te beluisteren
42. My Bonnie is over the ocean .... gitaar, om te oefenen
43. Allemande ............ gitaar, om te beluisteren
44. Allemande ............ gitaar, om te oefenen

# Inleiding

Met het boek in combinatie met de cd leer je de wereld van de klassieke gitaar kennen. Het gaat hierbij niet om een klassieke gitaarmethode en het is ook geen vervanging voor gitaarles.
De cd laat met veel bekende muziekvoorbeelden de veelzijdigheid van de klassieke gitaar horen, van eenvoudige liedbegeleidingen tot de minder makkelijk te spelen "hit" van de klassieke gitaar, Bourrée van Johann Sebastian Bach. Van veel stukken vind je op de cd een karaoke-versie, waarmee je kunt samenspelen als in een band.
Alle klassieke melodieën vind je ook als langzaam gespeelde "oefen"versie.

**Je zult zien dat klassiek gitaar spelen leuk is!**

## De stemming

Om de stukken op de cd mee te kunnen spelen moet de gitaar goed worden gestemd. Op de cd worden alle es snaren gespeeld, beginnend met een lage E-snaar. Hieronder de namen van de snaren:

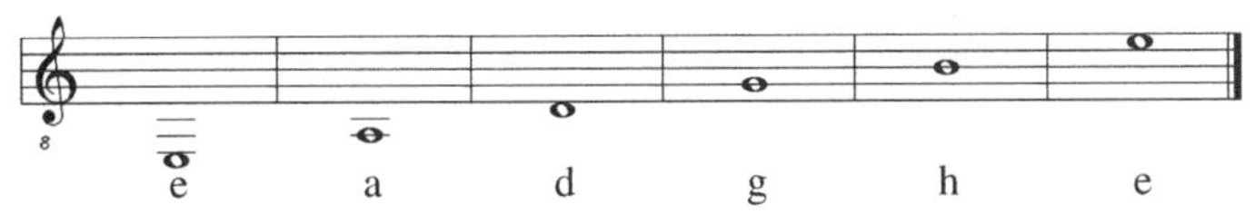

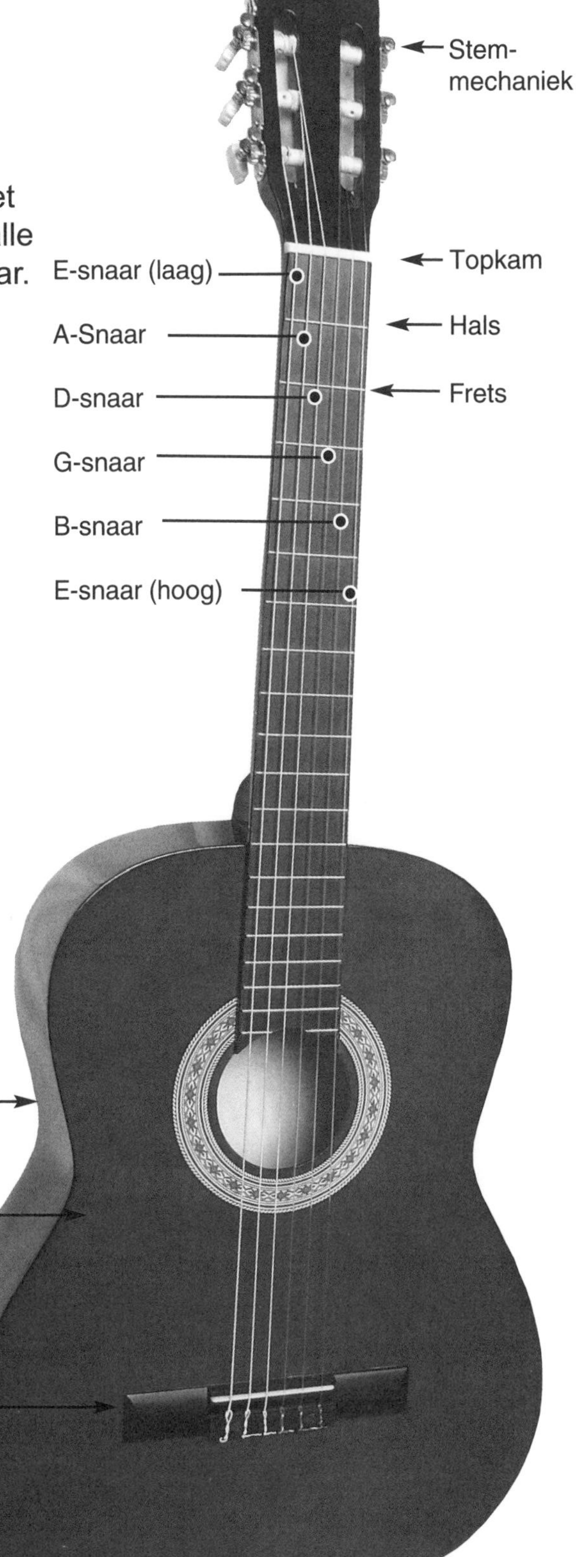


## Het stemapparaat:

Met het stemapparaat is de gitaar makkelijker te stemmen. Als het apparaat wordt ingeschakeld is het direct klaar voor gebruik. Als een snaar door het spannen van de mechaniek in het juiste toonhoogtebereik komt, geeft de LED aan of de snaar gestemd is. Links betekent te laag, rechts betekent te hoog. Als de middelste LED brandt, is de snaar goed gestemd.

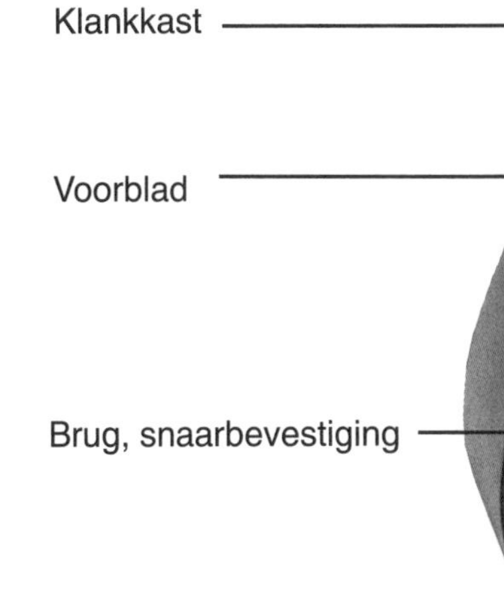

## Gitaarsnaren verwisselen

Het verwisselen van de snaren is lastig, maar af en toe nodig. Snaren kunnen om verschillende redenen knappen - bijvoorbeeld als ze te hoog gestemd worden. Bovendien is de levensduur van een snaar beperkt. Onder invloed van stof, vuil en transpiratie-inwerking verliezen ze na enige tijd hun heldere klank en juiste toonhoogte - dat is het moment om je gitaar van een nieuwe set snaren te voorzien.

## Gitaarsnaren opspannen

De klassieke gitaar is met nylon snaren bespannen. De drie hoogste snaren zijn volledig uit nylon gemaakt, terwijl de drie laagste snaren een kern van nylon hebben die met staal is omwonden.

1. Verwijder de snaar die moet worden vervangen. Verwijder de resten van geknoopte snaren uit het mechaniek en uit de snaarbevestiging.

2. Er zijn verschillende manieren waarop de snaar aan de brug kan worden bevestigd. Dit is de meest gangbare manier.

afbeelding 1

3. Leid de snaar door de inkeping in de topkam (afbeelding 2) naar het betreffende stemmechaniek. De snaren zijn vaak veel langer dan nodig is.

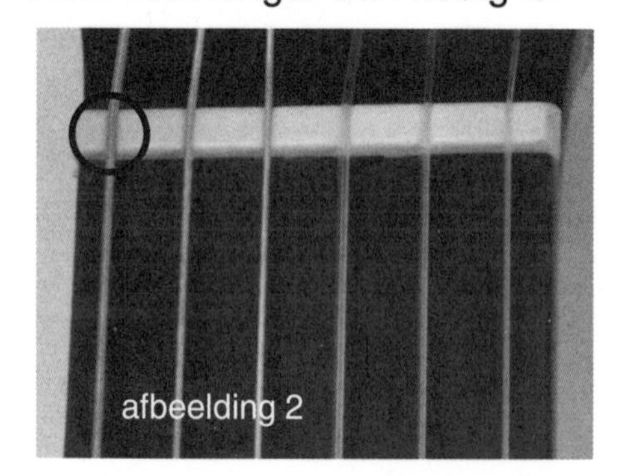
afbeelding 2

4. Draai nu aan de stemschroef van het mechaniek. De snaar moet zich hierbij drie of vier keer om de schroef wikkelen. De wikkeling moet gelijkmatig zijn. Zie afbeelding 3 voor de draairichting. Als er een snaargeleiding aanwezig is, moet de snaar daar doorheen worden geleid.

5. Stemmen van de snaren. Om de snaarspanning te stabiliseren moeten de snaren worden gerekt door ze boven de toets met de vingers voorzichtig omhoog te trekken.

6. Stem de gitaar nu nog een keer.

7. Neem een snaarknipper en knip het overtollige deel van de snaar bij het stemmechaniek af.

8. Voordat de stemming stabiel is, moet er meestal nog enkele keren worden nagestemd. Bij nylon snaren moet dat vaker gebeuren als bij stalen snaren.

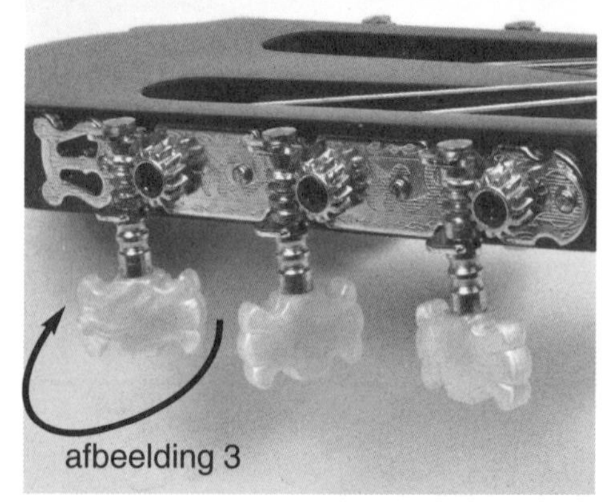
afbeelding 3

## Over onderhoud:

De klassieke gitaar is een handgemaakt houten instrument en moet voorzichtig worden behandeld. In de hoes is de gitaar het best beschermt tegen stof en luchtvochtigheid. Het oppervlak van de gitaar nooit met agressieve schoonmaakmiddelen reinigen.

## De stand van de gitaar

Zoals op de foto te zien is, wordt de gitaar op het linkerbeen gelegd. Dit moet met behulp van een voetenbankje licht worden verhoogd. Dit is een beproefde houding om een goede balans en speelbaarheid te bereiken.

## De linkerhand

De linkerhand wordt in de vorm van een "klauw" tegen de gitaarhals geplaatst.
De duim biedt steun aan de achterkant van de hals. Met de overige vingers van de linkerhand worden de snaren op de toets gedrukt.

## De rechterhand

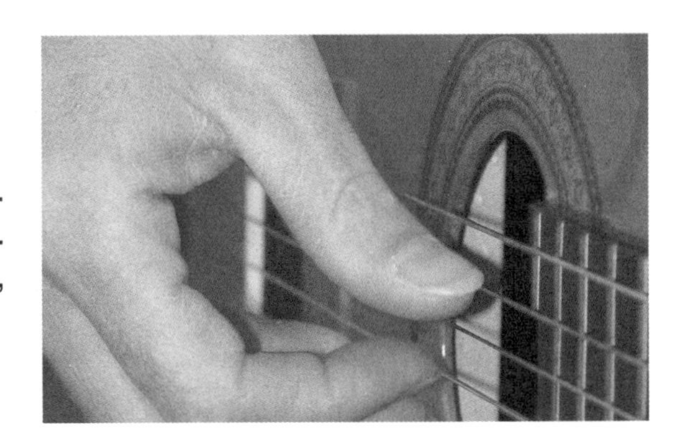

Met deze hand worden de snaren aangeslagen. De arm moet los op de kast van de gitaar rusten. Voor de aanslag worden de duim, de wijsvinger, de middelvinger en de ringvinger gebruikt.

## De duim van de rechterhand

In meerstemmige stukken worden alle tonen waarvan de nootstokken naar beneden wijzen met de duim aangeslagen (bijvoorbeeld 1). Als een noot twee stokken heeft (voorbeeld 2), wordt deze noot met de duim gespeeld, tenzij anders aangegeven.

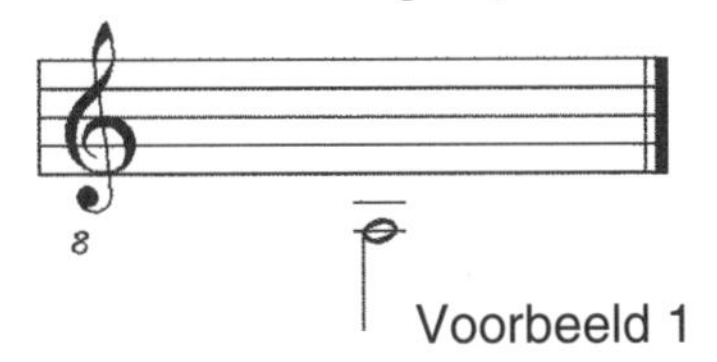

Voorbeeld 1

Voorbeeld 2

## De vingerzetting

Om het gitaarspel makkelijker te maken wordt bij de noten vooral voor de linkerhand een vingerzetting aangegeven. Hiervoor gelden de volgende aanduidingen:
De linkerhand: 0 = open snaar, 1 = wijsvinger, 2 = middelvinger, 3 = ringvinger, 4 = pink.

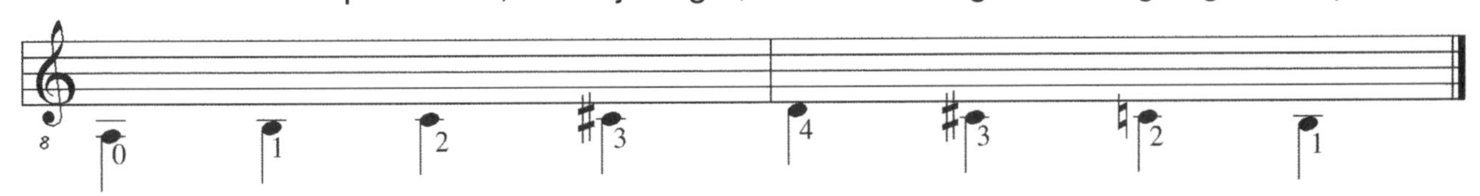

## De noten

Noten zijn uitgevonden om tonen grafisch weer te geven. In dit hoofdstuk worden de muzikale basisbegrippen behandeld.

### De toonladder:

Op de cd om te beluisteren Nr.2

In de muziek bestaan er zeven stamtonen die zich steeds herhalen. Ze heten: c, d, e, f, g, a, b.

Voor het spelen van verschillende toonsoorten is een kruis (#) nodig, die de betreffende toon een halve toon verhoogt, en een mol (b), die de toon van halve toon verlaagt.

### Chromatische toonladder met verhogingsteken "#":

### Chromatische toonladder met verlagingsteken "b":

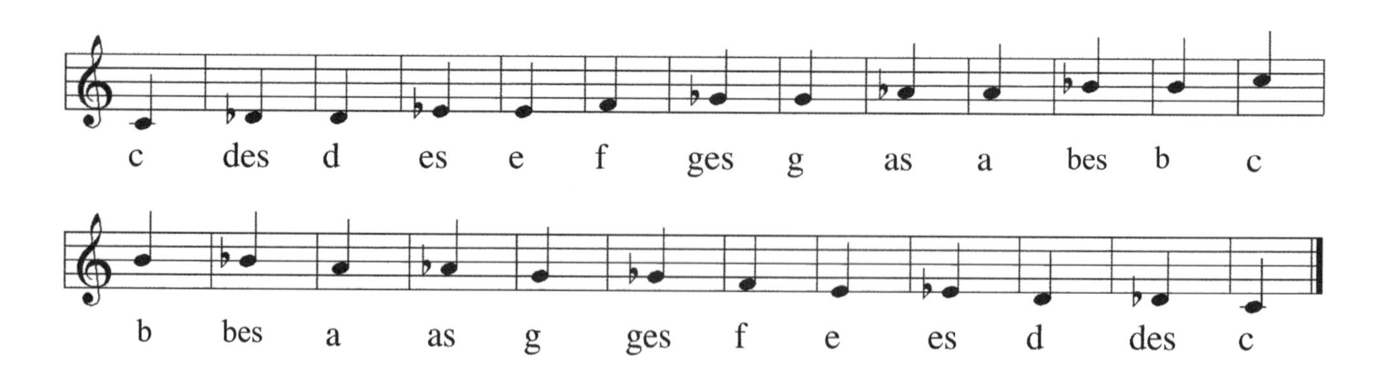

## De waarden van noten en rusten

Een punt achter een noot of rust verlengt deze met de helft van zijn waarde!

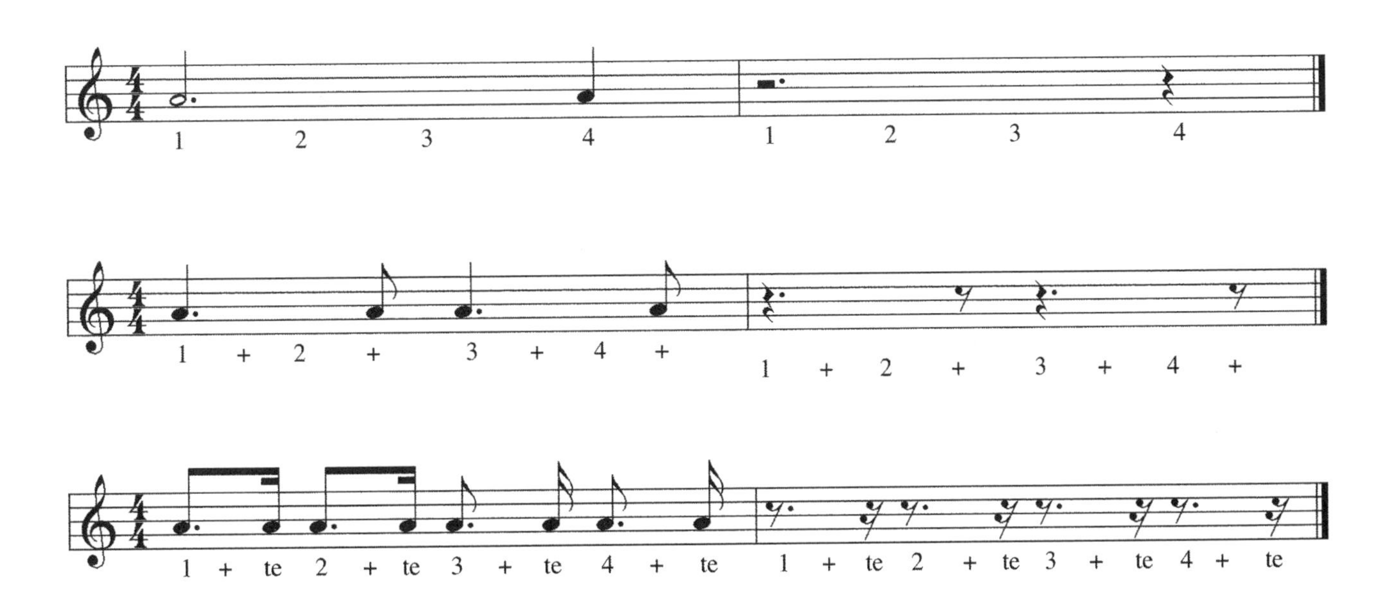

# De maatsoorten

De vierkwartsmaat

De driekwartsmaat

De tweekwartsmaat

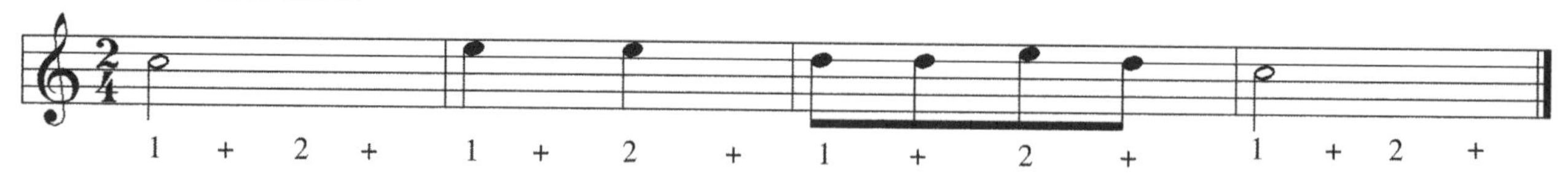


De 6/8e maat

# Belangrijke muzikale tekens

| | |
|---|---|
| ........................... | Slotstreep |
| ........................... | Alle maten tussen deze tekens worden herhaald |
| ........................... | Fermate - de noot wordt verlengd |
| DA CAPO *D.C.* ......................... | Herhalen vanaf het begin van het stuk |
| al ............................................ | tot het |
| Fine ......................................... | eind |
| DAL SEGNO *D.S.* 𝄋 ............... | Herhalen vanaf het DAL SEGNO-teken |
| 𝄌 ............................................ | Bij de herhaling van eerste het Coda-teken 𝄌 naar het volgende Coda-teken springen 𝄌 |
| p = piano ................................ | zacht spelen |
| pp = pianissimo ..................... | zeer zacht spelen |
| f = forte ................................. | luid spelen |
| ff = fortissimo ......................... | zeer luid spelen |
| Arpeggio .............................. | de tonen worden na elkaar aangeslagen, beginnend bij de laagste. |

# HE'S GOT THE WHOLE WORLD IN HIS HANDS

In de eerste song, een bekende spiritual, leer je spelen en begeleiden met akkoorden. De akkoorden die je nodig hebt worden met een greepdiagram weergegeven. Op de cd vind je een versie met gitaarbegeleiding en een "karaoke-versie" om mee te spelen zonder gitaarbegeleiding.
Veel plezier!

1.
He's got the whole world in his hands . . .

2.
He's got a tiny little baby in his hands . . .

3.
He's got the you and me brother in his hands . . .

4.
He's got the son and his father in his hands . . .

5.
He's got the mother and her daughter in his hands . . .

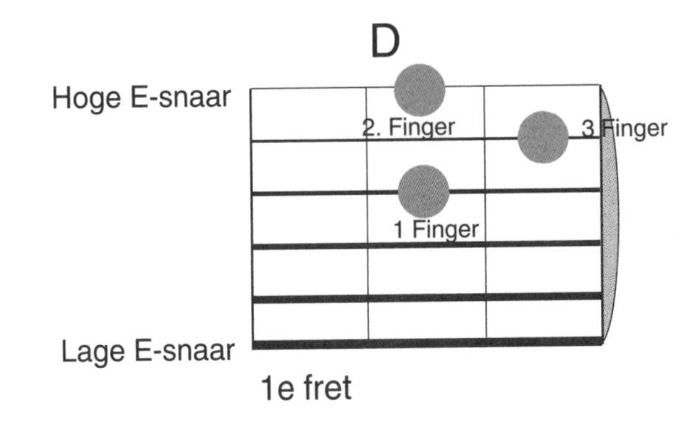


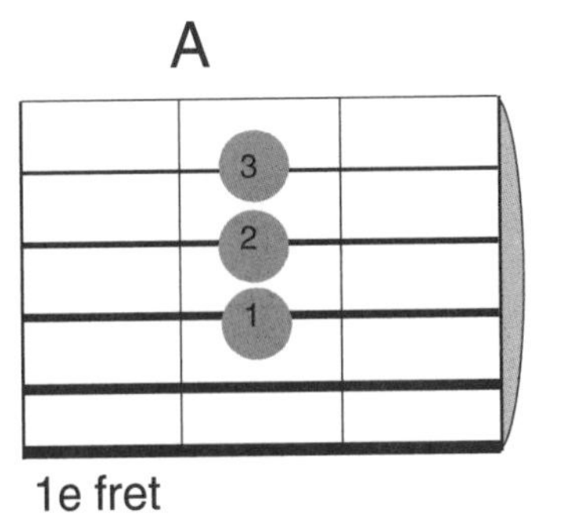

# FÜR ELISE LUDWIG VAN BEETHOVEN

Eigenlijk een pianostuk van Ludwig van Beethoven. Dit klinkt ook zeer aantrekkelijk als het gespeeld wordt op klassiek gitaar - meespelen met de karaoke-cd

## DER MOND IST AUFGEGANGEN karaoke-versie

Bij dit prachtige volkslied kun je de melodie met de karaoke-cd meespelen. Er is ook een eenvoudige versie voor klassiek gitaar solo!

## DER MOND IST AUFGEGANGEN versie voor klassiek gitaar

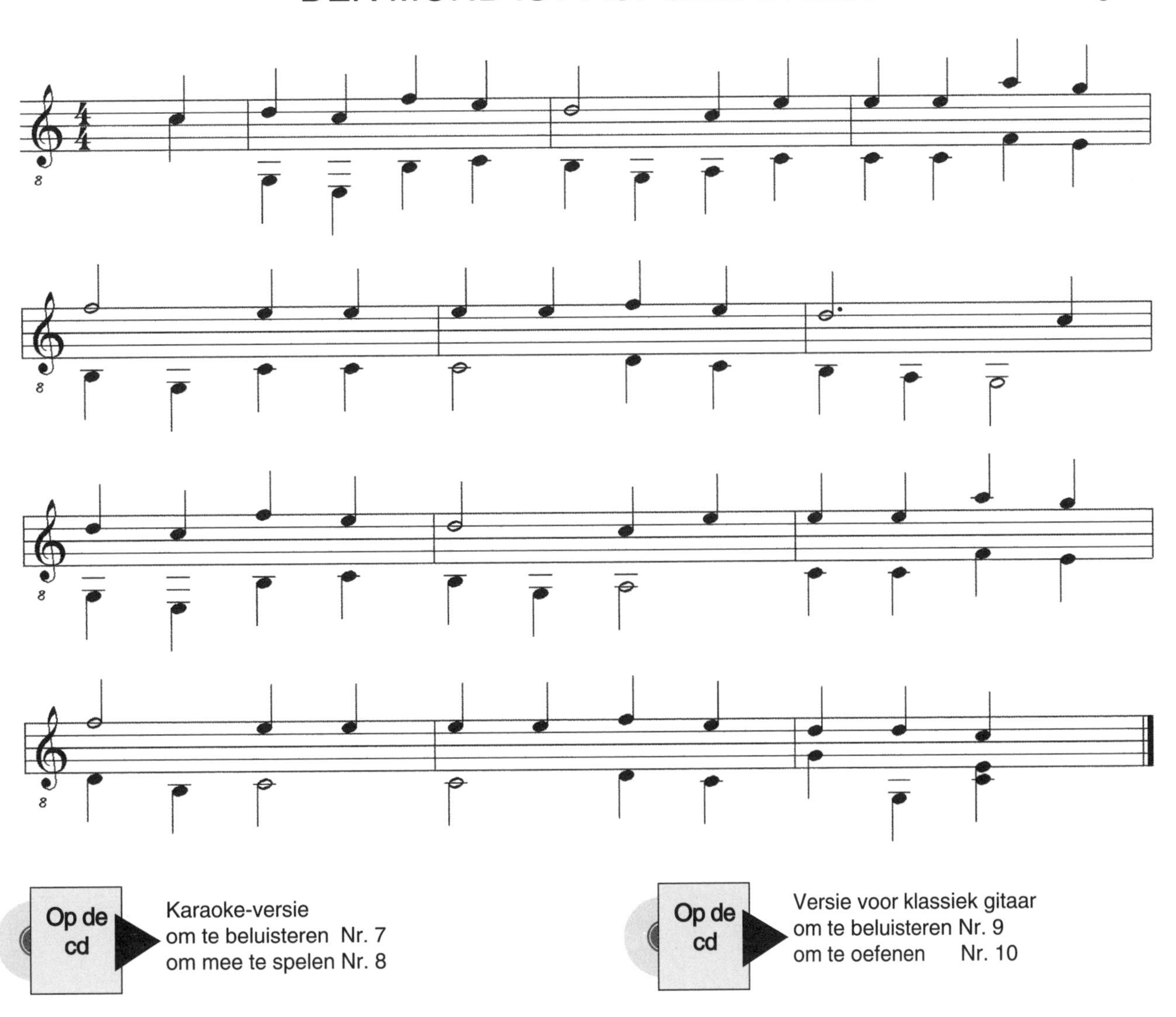

**Op de cd** Karaoke-versie
om te beluisteren Nr. 7
om mee te spelen Nr. 8

**Op de cd** Versie voor klassiek gitaar
om te beluisteren Nr. 9
om te oefenen Nr. 10

# ALLEGRETTO FERDINANDO CARULLI

Ferdinando Carulli werd op 10 februari 1770 in Napels geboren. Hij componeerde in totaal ongeveer 400 werken, waarvan de meeste voor gitaar en fluit.

Op de cd — om te beluisteren Nr. 11, om mee te spelen Nr. 12

# ANDANTINO FERDINANDO CARULLI

# AMAZING GRACE

Op de cd — om te beluisteren Nr. 15
om mee te spelen Nr. 16

# SPEELSTUKJE

## KUM BA YAH, MY LORD karaoke-versie

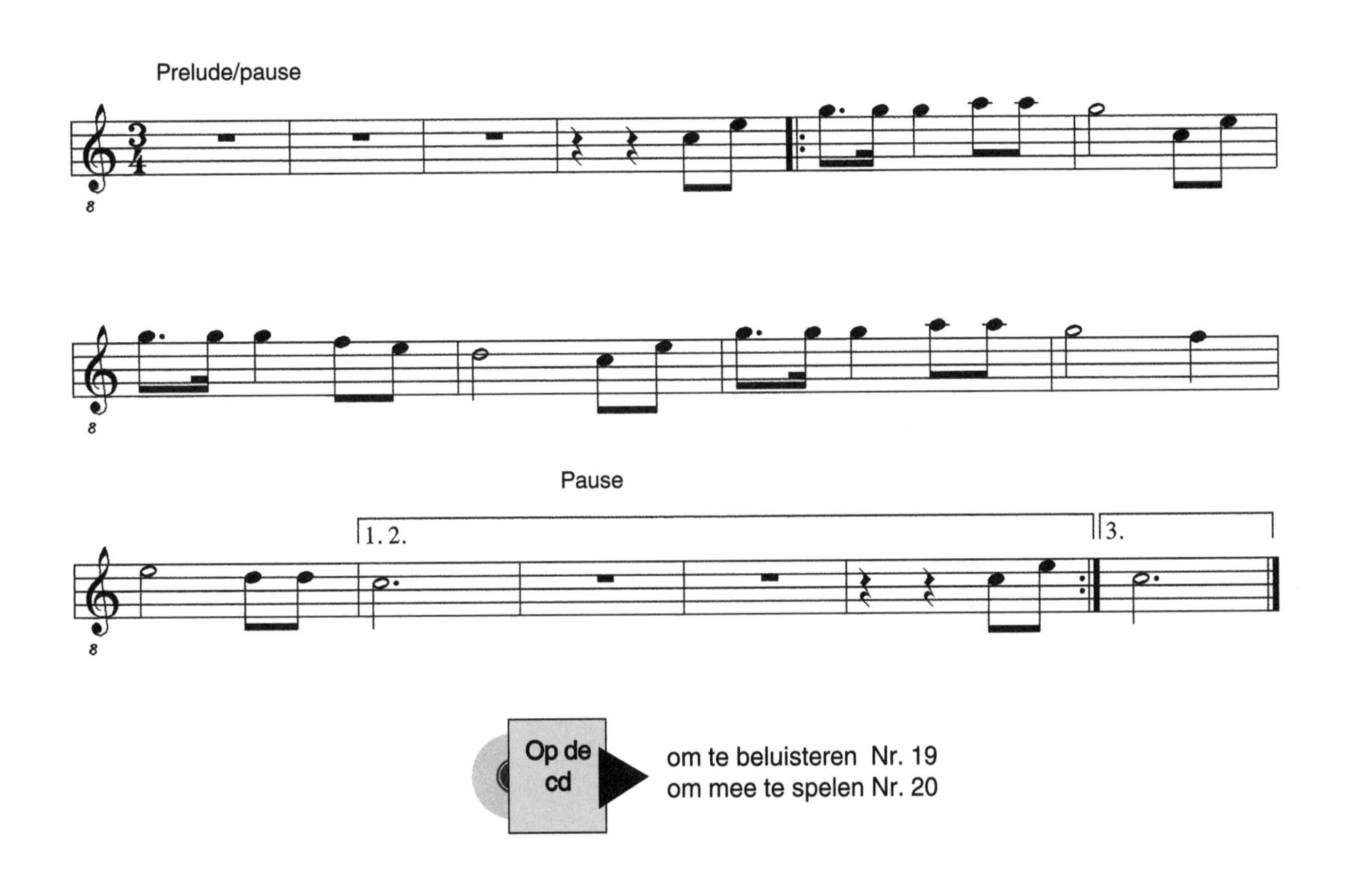

# ANDANTINO FERNANDO SOR

Fernando Sor werd op 13 februari 1778 in Barcelona geboren. Als gitarist en componist schreef hij zeer veel stukken voor klassiek gitaar. Het andante en andantino van Fernando Sor is maar een kleine selectie uit zijn omvangrijke collectie gitaarcomposities.

Op de cd
om te beluisteren Nr. 21
om mee te spelen Nr. 22

# ANDANTE FERNANDO SOR

# ROMANZE ANONYM karaoke-versie

Iedereen kent en waardeert dit muziekstuk. Het stuk is al heel oud en de componist is onbekend. De versie voor klassiek gitaar is helemaal niet zo makkelijk te spelen.

# STUKJE

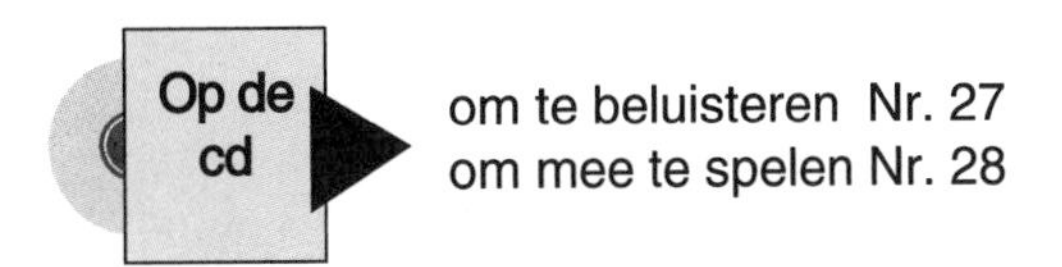

# ROMANZE ANONYM versie klassiek gitaar

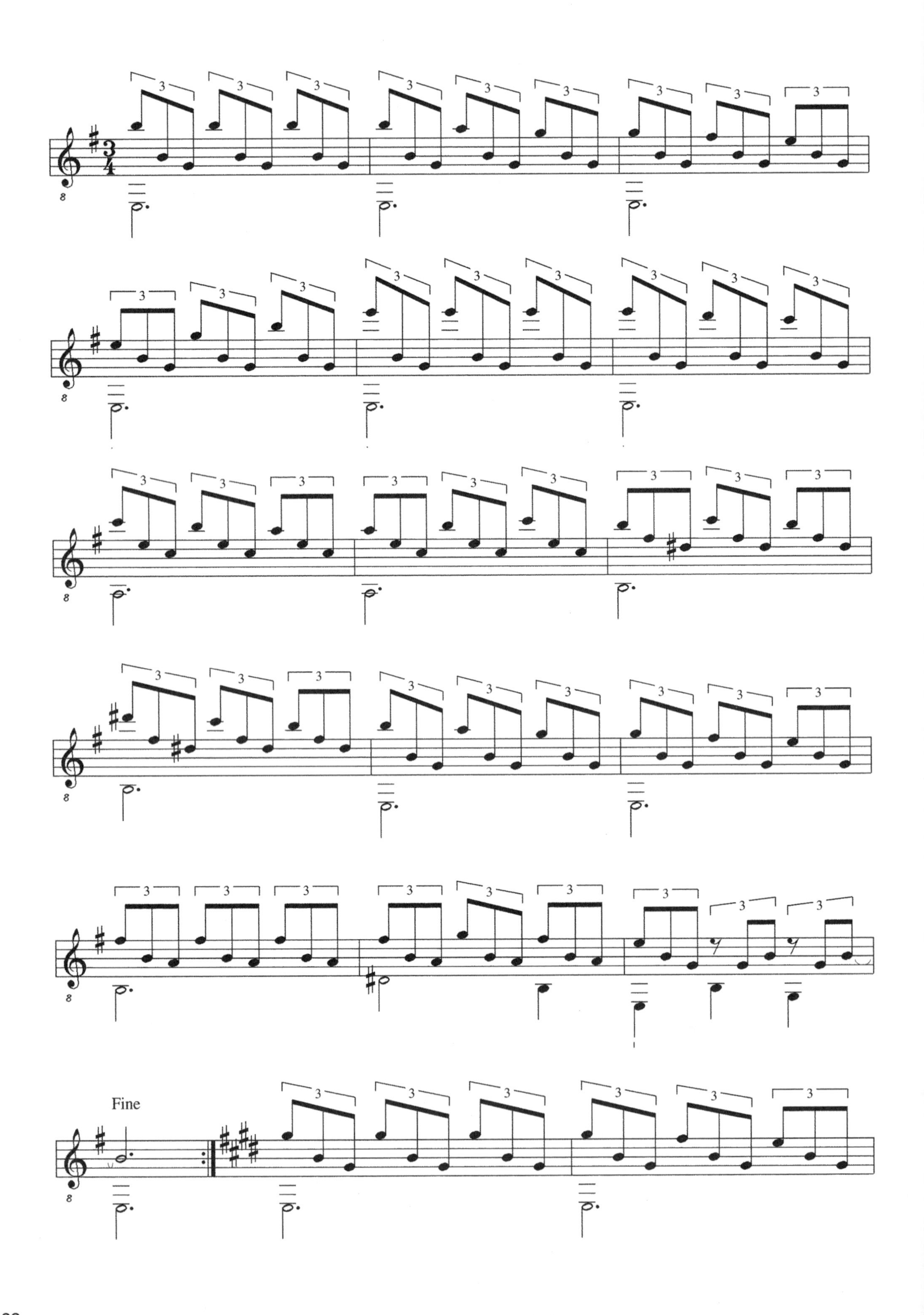

D.C al Fine
Op de cd
om te beluisteren Nr. 29
om mee te spelen Nr. 30

# GREENSLEEVES karaoke-versie

Een prachtig oud Iers volkslied. Bewerkt om eenstemmig mee te spelen met de cd en om meerstemmig de klassieke gitaar te spelen.

Op de cd
om te beluisteren Nr. 31
om mee te spelen Nr. 32

## GREENSLEEVES versie klassiek gitaar

# BOURRÉE J. S. BACH

De gitaarhit van **Johann Sebastian Bach** - hoewel dit stuk oorspronkelijk helemaal niet voor gitaar werd gecomponeerd. Gitaarmuziek van Johann Sebastian Bach is niet makkelijk te spelen en vereist intensieve oefening.

**Op de cd** om te beluisteren Nr. 35
om mee te spelen Nr. 35

# CAPRICCIO J. GRAF LOSY VON LOSINTAL

# ECOSSAISE MAURO GIULIANI

De Ecossaise is oorspronkelijk een oude Schotse volksdans. De Italiaanse gitarist Mauro Giuliani werd op 27 juli 1781 geboren en componeerde in de loop van zijn leven meer dan 300 werken voor gitaar.

Op de cd

om te beluisteren Nr. 39
om mee te spelen Nr. 40

# MY BONNIE IS OVER THE OCEAN

Veel bekende muzikanten en bands hebben dit oude zeemanslied al eens bewerkt en gespeeld. Met behulp van de cd en wat oefenen lukt het ook met de klassieke gitaar.

## ALLEMANDE

Op de cd

om te beluisteren Nr. 43
om mee te spelen Nr. 44